Daily

SCRABBLE®

BRAND Crossword Game

GRAMS

BOOK 3

HarperCollins Publishers
Westerhill Road
Bishopbriggs
Glasgow
G64 2QT

First edition 2009

Reprint 10 9 8 7 6 5 4 3 2 1 0

ISBN 978-0-00-729829-7

All puzzles first published in the UK in the *Daily Mail*

www.collinslanguage.com

A catalogue record for this book is available from the British Library

Typeset by Davidson Pre-Press, Glasgow

Printed in Great Britain by Clays Ltd, St Ives plc

Introduction

Scrabble®grams is a popular word puzzle designed to increase your Scrabble® skills and to help to extend your vocabulary. It was created in the USA by Judd Hambrick about 30 years ago and is now played in many countries. In the United Kingdom it is a regular feature in the *Daily Mail*.

How to play

Each game contains four rows (or racks) of seven Scrabble® tiles from a typical game. For each row, form a word of between two and seven letters and write it in the blank squares provided. Blank tiles can be used for any letter, but, of course, they have no score. You can only use words that appear in a standard English dictionary, excluding abbreviations, words beginning with a capital letter and words that require an apostrophe or a hyphen. If you are unsure about a word, you can always use the Collins Official Scrabble® Checker (www.collinslanguage.com/extras/scrabble.aspx). The time limit for completing all four racks is 20 minutes.

How to score

Add up the score for each rack – each tile contains the score for that letter. Remember to include any double or triple letter score indicated for a letter in a particular position or any marked double or triple word score, where your score for the whole word is doubled or tripled. If you complete a word that uses all seven tiles in a rack, then add a 50-point bonus. There is no score for any blank tile used. When you have completed the scores for all the racks, add them together for your overall score. See how it compares with the Par Score suggested by Judd Hambrick. His own solutions are given at the back of the book – he always scores above par!

Judd Hambrick

Judd loved the challenge of words and word games from an early age. He developed the concept for Scrabble®grams in the late 1970s, when he got together with his neighbours in San Francisco for weekend afternoons of 'killer Scrabble®'. Judd's fondness for increasing his vocabulary, and his ability to solve anagrams quickly, led him to create the format for Scrabble®grams.

'I designed it for people who love word games – especially anagrams – and who like to challenge others with their scores,' says Judd. 'I hope it's a challenge readers will enjoy for many years.'

Judd is a retired television news anchor. Over his 40-year news career, he anchored news programmes in Los Angeles, Philadelphia, San Francisco, Dallas and Cleveland. Born in Tyler, Texas, he graduated from the University of Texas with a degree in journalism.

PUZZLES

BOARD 1

SCRABBLE® BRAND GRAMS

R A S E H P P — Triple Word Score

G U E B Y N I — Double Word Score

E H T A N N E — Double Score on 3rd Letter

E E E L A L G

FOUR RACK TOTAL TIME LIMIT: 20 MINUTES

PAR SCORE 85–95

BY JUDD

SOLUTION ON PAGE 163

Rack 1	Rack 2	Rack 3	Rack 4	TOTAL

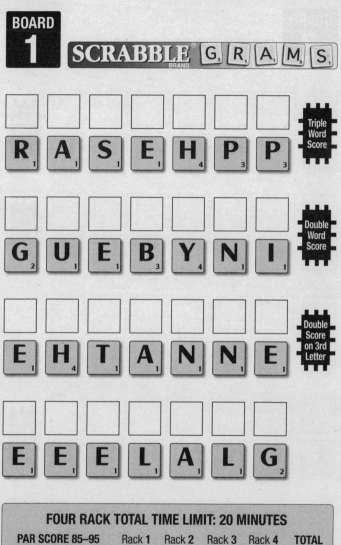

BOARD 2

SCRABBLE BRAND **GRAMS**

Double Word Score

L₁ Y₄ R₁ T₁ A₁ E₁ L₁

Triple Score on 2nd Letter

L₁ R₁ T₁ E₁ S₁ U₁ H₄

G₂ T₁ D₂ S₁ I₁ U₁ S₁

Triple Score on 2nd Letter

E₁ E₁ N₁ N₁ P₃ S₁ L₁

FOUR RACK TOTAL TIME LIMIT: 20 MINUTES

PAR SCORE 130–140 BY JUDD	Rack 1	Rack 2	Rack 3	Rack 4	TOTAL
SOLUTION ON PAGE 163					

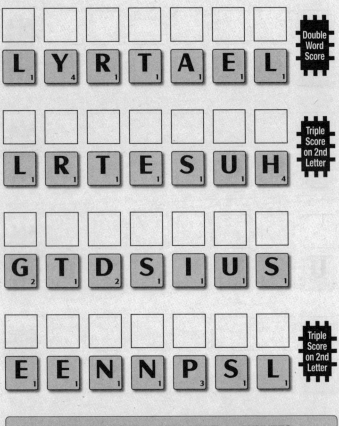

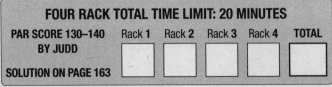

BOARD 3

SCRABBLE GRAMS

Triple Score on 3rd Letter

S₁ D₂ O₁ E₁ S₁ M₃ L₁

I₁ H₄ R₄ V₄ N₁ S₁ A₁

U₁ A₁ M₃ N₁ R₁ L₁ E₁

Triple Word Score

A₁ A₁ E₁ G₂ S₁ M₃ S₁

FOUR RACK TOTAL TIME LIMIT: 20 MINUTES					
PAR SCORE 135–145 BY JUDD	Rack 1	Rack 2	Rack 3	Rack 4	TOTAL
SOLUTION ON PAGE 163					

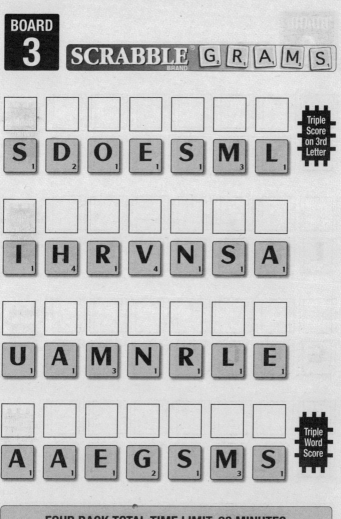

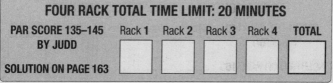

BOARD 4

SCRABBLE GRAMS

S	S	D	U	U	R	G	Double Word Score
1	1	2	1	1	1	2	

T	Y	T	E	A	E	P	Double Word Score
1	4	1	1	1	1	3	

S	Y	T	E	A	U	R	Double Score on 4th Letter
1	4	1	1	1	1	1	

Y	L	H	R	S	N	A
4	1	4	1	1	1	1

FOUR RACK TOTAL TIME LIMIT: 20 MINUTES

PAR SCORE 65–75 BY JUDD	Rack 1	Rack 2	Rack 3	Rack 4	TOTAL
SOLUTION ON PAGE 163					

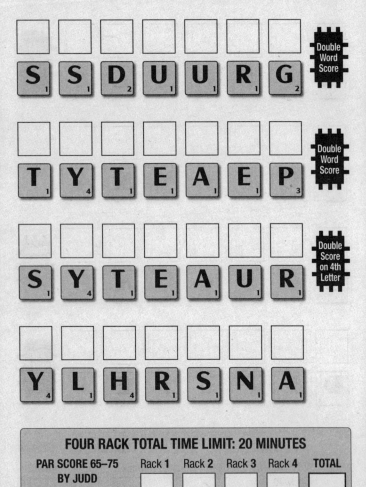

SCRABBLE GRAMS

Triple Word Score

N₁ I₁ O₁ H₄ S₁ C₃ S₁

O₁ O₁ L₁ F₄ N₁ R₁ R₁

Double Score on 1st Letter

S₁ O₁ I₁ U₁ M₃ N₁ S₁

Triple Score on 2nd Letter

D₂ X₈ E₁ U₁ E₁ E₁ L₁

FOUR RACK TOTAL TIME LIMIT: 20 MINUTES

PAR SCORE 85–95
BY JUDD

SOLUTION ON PAGE 163

Rack 1	Rack 2	Rack 3	Rack 4	TOTAL

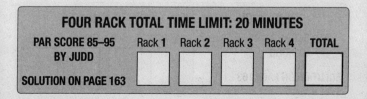

BOARD 6

SCRABBLE® BRAND GRAMS

R	R	O	C	E	N	K	Triple Word Score
1	1	1	3	1	1	5	

T	I	A	B	V	O	R	Double Score on 1st Letter
1	1	1	3	4	1	1	

K	A	H	T	S	E	C	Triple Score on 2nd Letter
5	1	4	1	1	1	3	

O	O	L	S	D	L	F
1	1	1	1	2	1	4

FOUR RACK TOTAL TIME LIMIT: 20 MINUTES

PAR SCORE 85–95 BY JUDD	Rack 1	Rack 2	Rack 3	Rack 4	TOTAL

SOLUTION ON PAGE 163

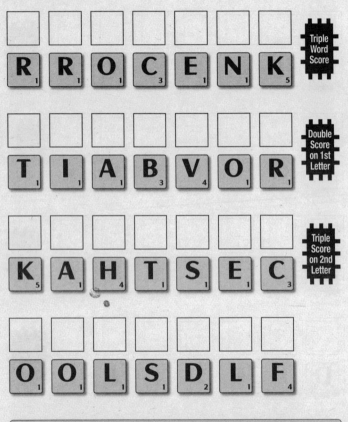

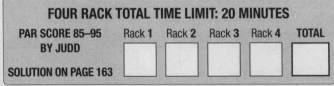

BOARD 7

SCRABBLE® BRAND GRAMS

A O E W P N S

A L A M E N N — Triple Word Score

N O S G N I P

T S G S E U U — Triple Word Score

FOUR RACK TOTAL TIME LIMIT: 20 MINUTES

PAR SCORE 100–110
BY JUDD

SOLUTION ON PAGE 163

Rack 1	Rack 2	Rack 3	Rack 4	TOTAL

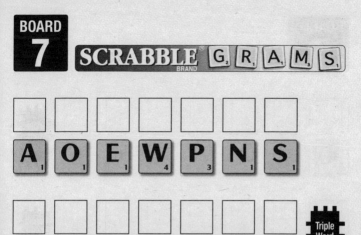

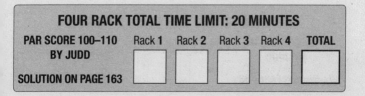

BOARD 8

SCRABBLE® BRAND GRAMS

O O L H A C R — Double Word Score

I U L S E R P

I T A D S M R — Triple Word Score

O I I V L D E

FOUR RACK TOTAL TIME LIMIT: 20 MINUTES

PAR SCORE 35–45
BY JUDD

SOLUTION ON PAGE 163

Rack 1	Rack 2	Rack 3	Rack 4	TOTAL

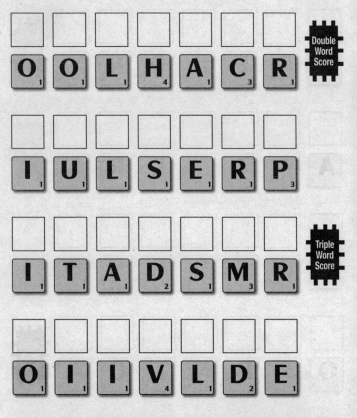

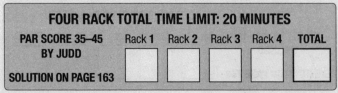

SCRABBLE G₂ R₁ A₁ M₃ S₁

| R₁ | T₁ | E₁ | A₁ | O₁ | K₅ | M₃ | Double Word Score |

| A₁ | A₁ | T₁ | L₁ | E₁ | R₁ | L₁ |

| I₁ | G₂ | L₁ | G₂ | S₁ | N₁ | O₁ |

| O₁ | R₁ | D₂ | N₁ | T₁ | O₁ | A₁ | Double Word Score |

FOUR RACK TOTAL TIME LIMIT: 20 MINUTES

PAR SCORE 130–140 BY JUDD	Rack 1	Rack 2	Rack 3	Rack 4	TOTAL
SOLUTION ON PAGE 163					

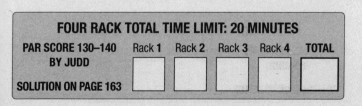

BOARD 10

SCRABBLE GRAMS

R U R U Y L B — Triple Word Score

E R D T C A O — Triple Word Score

Y O S P D S R — Double Score on 4th Letter

O O R R G W N

FOUR RACK TOTAL TIME LIMIT: 20 MINUTES

PAR SCORE 85–95
BY JUDD

Rack 1	Rack 2	Rack 3	Rack 4	TOTAL

SOLUTION ON PAGE 163

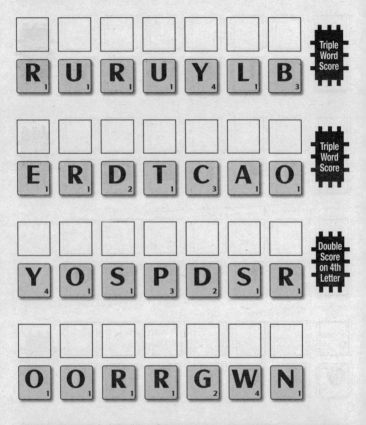

BOARD 11

SCRABBLE GRAMS

Triple Word Score

| N₁ | T₁ | P₃ | R₁ | I₁ | A₁ | E₁ |

Triple Word Score

| B₃ | T₁ | O₁ | R₁ | R₁ | D₂ | H₄ |

| R₁ | C₃ | N₁ | L₁ | A₁ | E₁ | U₁ |

| V₄ | E₁ | O₁ | A₁ | T₁ | I₁ | L₁ |

FOUR RACK TOTAL TIME LIMIT: 20 MINUTES

PAR SCORE 145–155
BY JUDD

SOLUTION ON PAGE 164

Rack 1	Rack 2	Rack 3	Rack 4	TOTAL

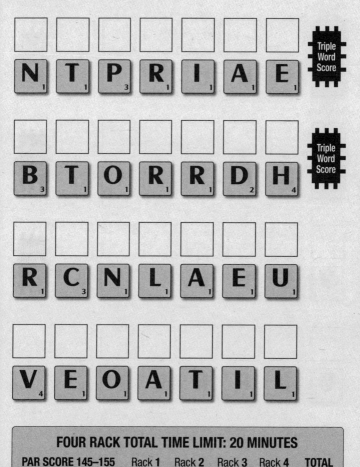

BOARD 12

SCRABBLE GRAMS

F T E E R T D

V O A I A L S — Double Word Score

O A T R K I I — Triple Word Score

Y I R R L M P

FOUR RACK TOTAL TIME LIMIT: 20 MINUTES

PAR SCORE 80–90
BY JUDD

SOLUTION ON PAGE 164

Rack 1	Rack 2	Rack 3	Rack 4	TOTAL

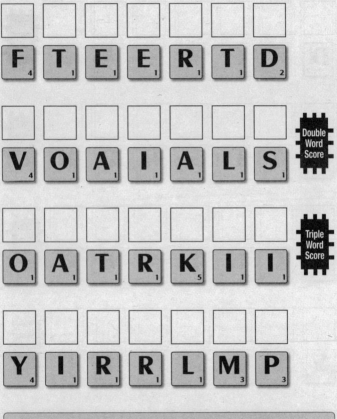

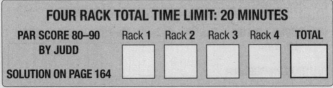

BOARD 13 SCRABBLE® BRAND GRAMS

D[2] R[1] G[2] R[1] E[1] A[1] U[1] — Triple Word Score

T[1] E[1] T[1] U[1] F[4] R[1] L[1]

X[8] I[1] I[1] T[1] N[1] M[3] R[1] — Triple Word Score

C[3] E[1] O[1] A[1] P[3] H[4] L[1] — Triple Score on 2nd Letter

FOUR RACK TOTAL TIME LIMIT: 20 MINUTES

PAR SCORE 155–165
BY JUDD

SOLUTION ON PAGE 164

Rack 1	Rack 2	Rack 3	Rack 4	TOTAL

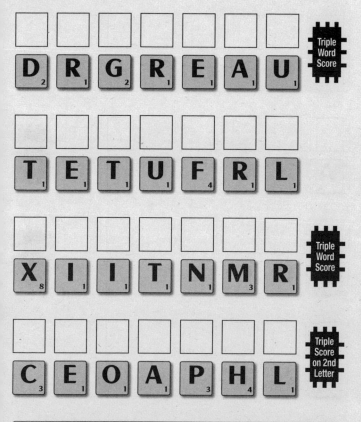

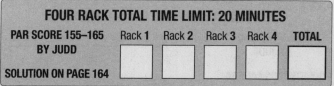

BOARD 14

SCRABBLE® BRAND GRAMS

T₁ O₁ A₁ N₁ T₁ C₃ C₃

A₁ A₁ U₁ T₁ R₁ T₁ Q₁₀ — Triple Word Score

P₃ O₁ O₁ A₁ N₁ R₁ S₁ — Double Word Score

T₁ S₁ E₁ O₁ U₁ L₁ T₁

FOUR RACK TOTAL TIME LIMIT: 20 MINUTES

PAR SCORE 145–155 BY JUDD	Rack 1	Rack 2	Rack 3	Rack 4	TOTAL
SOLUTION ON PAGE 164					

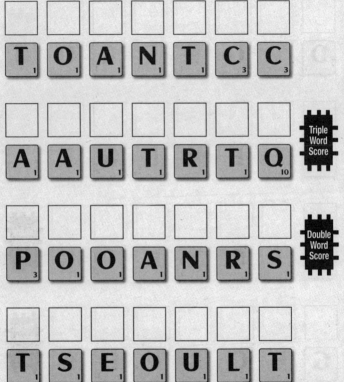

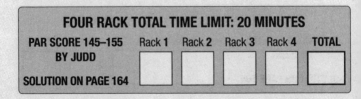

BOARD 15

SCRABBLE® BRAND GRAMS

O I U T S R O

S E E A L G S

I I R N A T M — Double Word Score

G E O L U L B — Triple Score on 3rd Letter

FOUR RACK TOTAL TIME LIMIT: 20 MINUTES

PAR SCORE 155–165 BY JUDD	Rack 1	Rack 2	Rack 3	Rack 4	TOTAL

SOLUTION ON PAGE 164

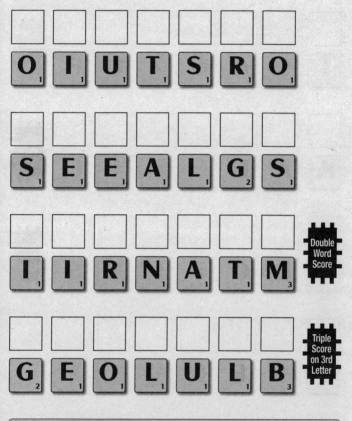

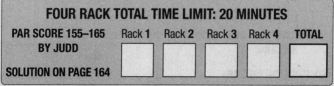

BOARD 16

SCRABBLE GRAMS

I N I W U C E — Double Score on 1st Letter

R Y F E E I L — Triple Word Score

N E A T T R E

V O A E N S I

FOUR RACK TOTAL TIME LIMIT: 20 MINUTES

PAR SCORE 105–115
BY JUDD

Rack 1	Rack 2	Rack 3	Rack 4	TOTAL

SOLUTION ON PAGE 164

BOARD 17

SCRABBLE® BRAND GRAMS

R 1	I 1	E 1	S 1	D 2	E 1	L 1

T 1	G 2	D 2	G 2	O 1	E 1	C 3	Double Word Score

K 5	I 1	I 1	Y 4	S 1	P 3	M 3	Triple Score on 2nd Letter

M 3	N 1	C 3	A 1	E 1	O 1	L 1

FOUR RACK TOTAL TIME LIMIT: 20 MINUTES

PAR SCORE 70–80
BY JUDD

SOLUTION ON PAGE 164

Rack 1	Rack 2	Rack 3	Rack 4	TOTAL

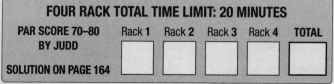

BOARD 18

SCRABBLE® BRAND GRAMS

E 1	E 1	L 1	D 2	D 2	D 2	U 1

U 1	R 1	N 1	C 3	C 3	S 1	O 1	Double Word Score

A 1	R 1	T 1	P 3	T 1	E 1	N 1	Double Word Score

E 1	I 1	U 1	T 1	Y 4	N 1	T 1

FOUR RACK TOTAL TIME LIMIT: 20 MINUTES

PAR SCORE 165–175 BY JUDD	Rack 1	Rack 2	Rack 3	Rack 4	TOTAL
SOLUTION ON PAGE 164					

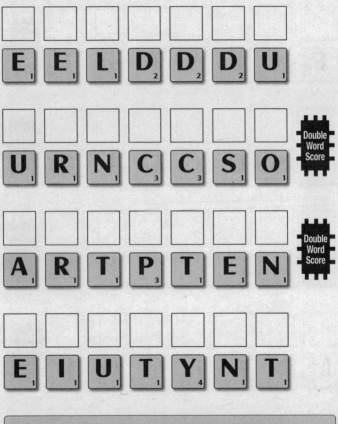

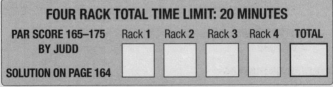

SCRABBLE® G₂R₁A₁M₃S₁

E₁ Y₄ C₃ L₁ L₁ M₃ O₁ — **Triple Word Score**

I₁ O₁ L₁ E₁ L₁ S₁ F₄

W₄ D₂ E₁ E₁ G₂ D₂ L₁

L₁ W₄ E₁ I₁ L₁ T₁ G₂ — **Triple Score on 2nd Letter**

FOUR RACK TOTAL TIME LIMIT: 20 MINUTES

PAR SCORE 80–90 BY JUDD

SOLUTION ON PAGE 164

Rack 1	Rack 2	Rack 3	Rack 4	TOTAL

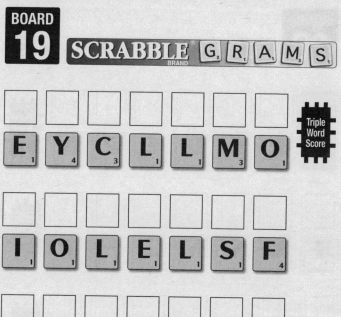

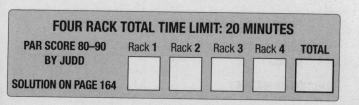

BOARD 20

SCRABBLE® BRAND GRAMS

T R S U E E N — Double Word Score

E U E M T N P

R N H G R I E

T O C D I I I — Double Word Score

FOUR RACK TOTAL TIME LIMIT: 20 MINUTES

PAR SCORE 160–170 BY JUDD	Rack 1	Rack 2	Rack 3	Rack 4	TOTAL

SOLUTION ON PAGE 164

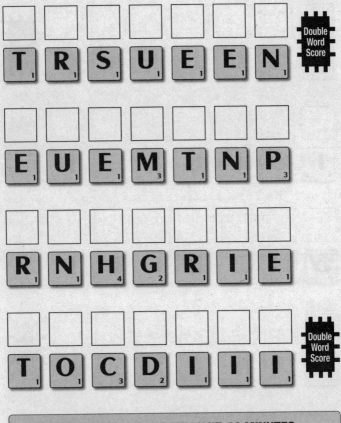

SCRABBLE GRAMS

E₁	S₁	P₃	D₂	T₁	E₁	O₁	**Triple Score on 4th Letter**

F₄	F₄	E₁	E₁	T₁	E₁	N₁	**Double Word Score**

D₂	Y₄	I₁	B₃	S₁	U₁	S₁

R₁	P₃	M₃	P₃	S₁	A₁	E₁

FOUR RACK TOTAL TIME LIMIT: 20 MINUTES

PAR SCORE 100–110
BY JUDD

SOLUTION ON PAGE 165

	Rack 1	Rack 2	Rack 3	Rack 4	TOTAL

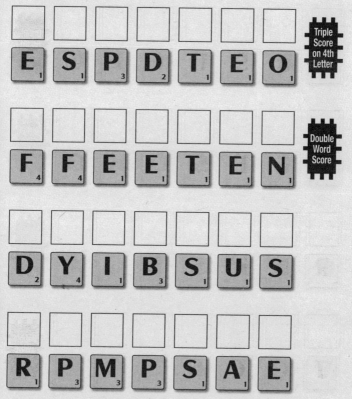

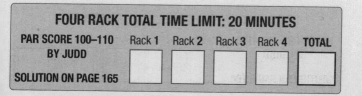

BOARD 22

SCRABBLE® BRAND GRAMS

L₁ B₃ T₁ Y₄ N₁ L₁ U₁ — Triple Word Score

F₄ I₁ L₁ S₁ O₁ H₄ O₁ — Double Score on 1st Letter

O₁ L₁ K₅ S₁ S₁ C₃ A₁ — Double Score on 1st Letter

V₄ C₃ E₁ A₁ L₁ O₁ E₁

FOUR RACK TOTAL TIME LIMIT: 20 MINUTES

PAR SCORE 110–120
BY JUDD

SOLUTION ON PAGE 165

Rack 1	Rack 2	Rack 3	Rack 4	TOTAL

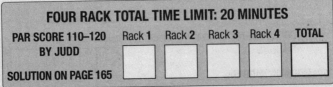

SCRABBLE® BRAND G₂R₁A₁M₃S₁

W₄ I₁ A₁ R₁ N₁ D₂ I₁

Double Score on 1st Letter

I₁ I₁ I₁ D₂ F₄ R₁ E₁

Double Score on 1st Letter

I₁ L₁ H₄ E₁ A₁ W₄ I₁

L₁ E₁ V₄ T₁ O₁ N₁ S₁

Double Word Score

FOUR RACK TOTAL TIME LIMIT: 20 MINUTES

PAR SCORE 65–75
BY JUDD

	Rack 1	Rack 2	Rack 3	Rack 4	TOTAL

SOLUTION ON PAGE 165

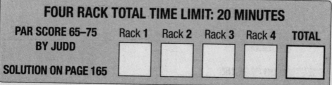

BOARD 24

SCRABBLE® BRAND GRAMS

S L A D R E E

U N D L X P E

Triple Score on 2nd Letter

H K T G N S I

Double Score on 1st Letter

L E T A R B S

Triple Word Score

FOUR RACK TOTAL TIME LIMIT: 20 MINUTES

PAR SCORE 145–155 BY JUDD	Rack 1	Rack 2	Rack 3	Rack 4	TOTAL

SOLUTION ON PAGE 165

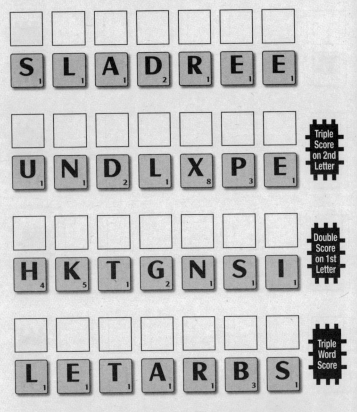

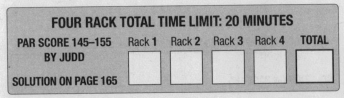

BOARD 25

SCRABBLE BRAND GRAMS

Rack 1 (Double Word Score): Z R H D A A E

Rack 2: C T L E E R N

Rack 3 (Double Word Score): S T C M O E U

Rack 4: S A K T A L S

FOUR RACK TOTAL TIME LIMIT: 20 MINUTES

PAR SCORE 110–120
BY JUDD

SOLUTION ON PAGE 165

Rack 1	Rack 2	Rack 3	Rack 4	TOTAL

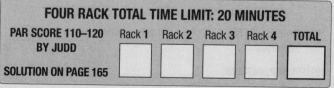

BOARD 26

SCRABBLE® BRAND GRAMS

O₁ C₃ F₄ N₁ I₁ I₁ T₁

H₄ E₁ B₃ L₁ I₁ M₃ S₁

Double Score on 4th Letter

C₃ H₄ N₁ O₁ R₁ M₃ A₁

Double Word Score

Y₄ A₁ V₄ I₁ T₁ R₁ S₁

FOUR RACK TOTAL TIME LIMIT: 20 MINUTES

PAR SCORE 170–180 BY JUDD	Rack 1	Rack 2	Rack 3	Rack 4	TOTAL

SOLUTION ON PAGE 165

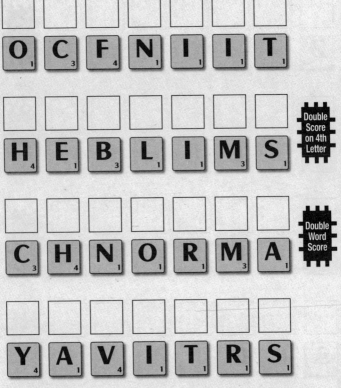

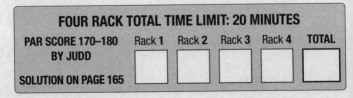

BOARD 27

SCRABBLE GRAMS

D T I C H H E — Triple Score on 1st Letter

O H C S C E I — Double Word Score

E E E R V D N

A E O L Y T C — Triple Word Score

FOUR RACK TOTAL TIME LIMIT: 20 MINUTES

PAR SCORE 155–165 BY JUDD

Rack 1	Rack 2	Rack 3	Rack 4	TOTAL

SOLUTION ON PAGE 165

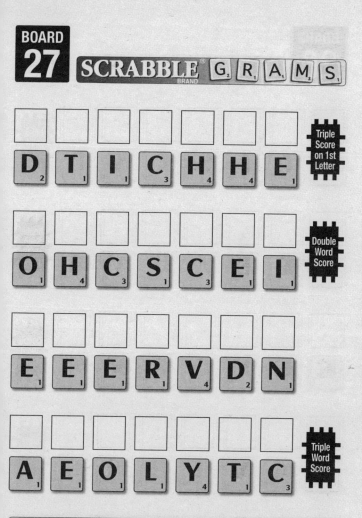

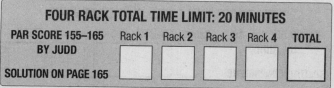

BOARD 28

SCRABBLE® BRAND GRAMS

A 1	I 1	E 1	S 1	L 1	N 1	F 4	Triple Word Score

J 8	K 5	L 1	W 4	U 1	I 1	C 3	Double Score on 4th Letter

N 1	C 3	Y 4	O 1	R 1	R 1	N 1

A 1	N 1	M 3	I 1	H 4	N 1	S 1	Triple Word Score

FOUR RACK TOTAL TIME LIMIT: 20 MINUTES

PAR SCORE 120–130
BY JUDD

SOLUTION ON PAGE 165

Rack 1	Rack 2	Rack 3	Rack 4	TOTAL

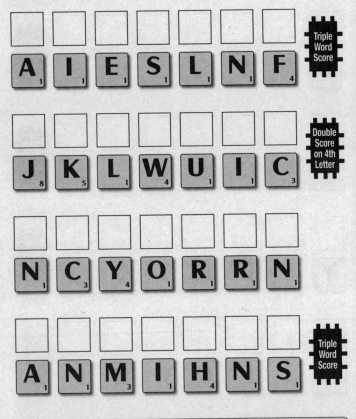

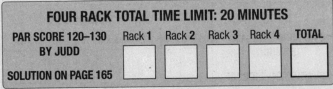

BOARD 29

SCRABBLE GRAMS

O M Y B S L S — Triple Word Score

I E I D L T O — Triple Word Score

Y E U N L E Q — Double Score on 1st Letter

A I L C R R E

FOUR RACK TOTAL TIME LIMIT: 20 MINUTES

PAR SCORE 125–135
BY JUDD

SOLUTION ON PAGE 165

Rack 1	Rack 2	Rack 3	Rack 4	TOTAL

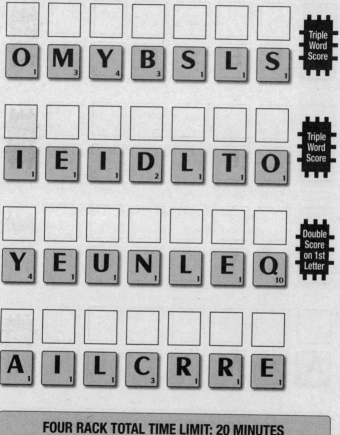

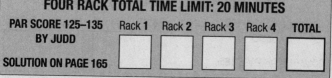

BOARD 30

SCRABBLE® BRAND GRAMS

E 1	P 3	S 1	A 1	C 3	R 1	A 1	
I 1	E 1	P 3	R 1	D 2	D 2	I 1	Double Word Score
O 1	O 1	S 1	N 1	I 1	U 1	X 8	Double Word Score
N 1	G 2	M 3	B 3	U 1	I 1	N 1	

FOUR RACK TOTAL TIME LIMIT: 20 MINUTES

PAR SCORE 105–115 BY JUDD	Rack 1	Rack 2	Rack 3	Rack 4	TOTAL

SOLUTION ON PAGE 165

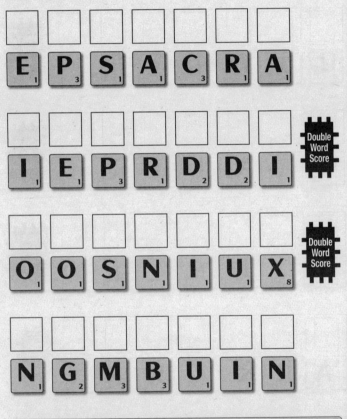

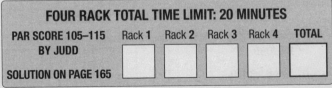

BOARD 31

SCRABBLE® BRAND GRAMS

U 1	U 1	F 4	S 1	I 1	F 4	X 8	Triple Word Score
C 3	T 1	A 1	K 5	A 1	R 1	H 4	Triple Score on 3rd Letter
R 1	L 1	T 1	A 1	T 1	E 1	P 3	Double Score on 2nd Letter
Y 4	I 1	R 1	D 2	M 3	D 2	A 1	Double Word Score

FOUR RACK TOTAL TIME LIMIT: 20 MINUTES

PAR SCORE 130–140
BY JUDD

Rack 1	Rack 2	Rack 3	Rack 4	TOTAL

SOLUTION ON PAGE 166

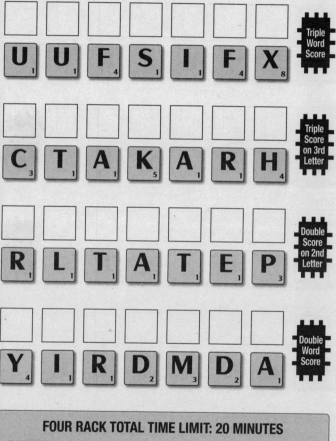

SCRABBLE® G₂ R₁ A₁ M₃ S₁

C₃ R₁ T₁ O₁ E₁ R₁ C₃

C₃ D₂ A₁ I₁ M₃ E₁ L₁

Double Word Score

V₄ D₂ R₁ E₁ I₁ E₁ G₂

Double Score on 3rd Letter

A₁ O₁ O₁ Y₄ L₁ L₁ R₁

FOUR RACK TOTAL TIME LIMIT: 20 MINUTES

PAR SCORE 130–140 BY JUDD	Rack 1	Rack 2	Rack 3	Rack 4	TOTAL

SOLUTION ON PAGE 166

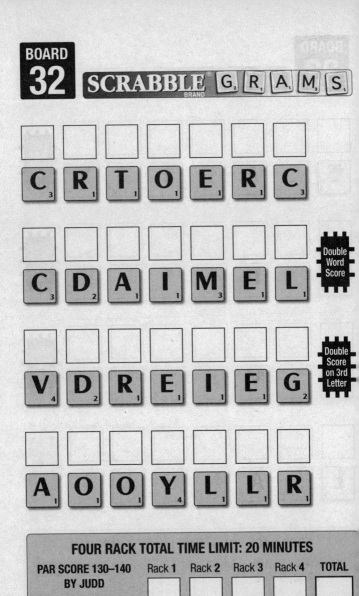

BOARD 33

SCRABBLE® BRAND GRAMS

T₁ I₁ A₁ C₃ R₁ H₄ Y₄

Double Score on 4th Letter

C₃ T₁ U₁ S₁ T₁ L₁ I₁

Double Word Score

E₁ T₁ M₃ E₁ P₃ N₁ U₁

Triple Word Score

L₁ S₁ A₁ N₁ G₂ A₁ A₁

FOUR RACK TOTAL TIME LIMIT: 20 MINUTES

PAR SCORE 175–185
BY JUDD

Rack 1	Rack 2	Rack 3	Rack 4	TOTAL

SOLUTION ON PAGE 166

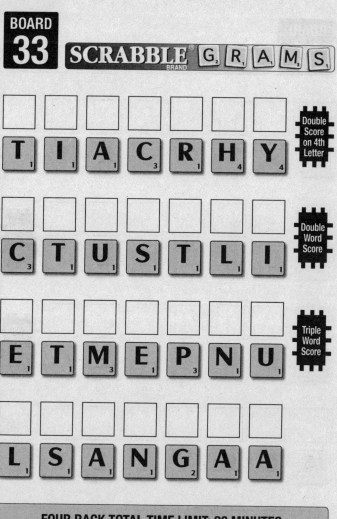

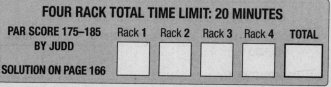

BOARD 34

SCRABBLE GRAMS

| O₁ | R₁ | S₁ | P₃ | V₄ | T₁ | O₁ |

| R₁ | A₁ | A₁ | E₃ | M₃ | L₁ | C₃ | Triple Word Score

| N₁ | R₁ | C₃ | A₁ | A₁ | A₁ | L₁ | Double Score on 1st Letter

| H₄ | T₁ | S₁ | E₁ | R₁ | V₄ | A₁ | Double Word Score

FOUR RACK TOTAL TIME LIMIT: 20 MINUTES

PAR SCORE 145–155
BY JUDD

SOLUTION ON PAGE 166

Rack 1	Rack 2	Rack 3	Rack 4	TOTAL

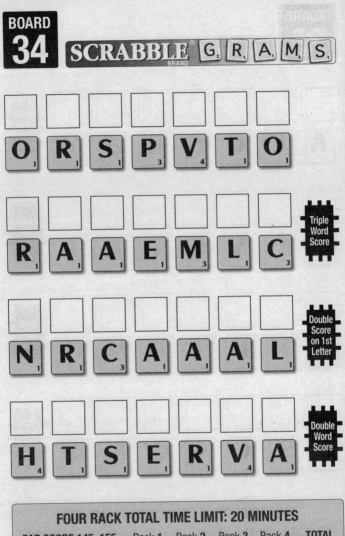

BOARD **35**

SCRABBLE® BRAND GRAMS

A U O R L S A

S M V E E E R — Double Word Score

L R H E O A I — Triple Word Score

R I O P W N Z — Triple Score on 1st Letter

FOUR RACK TOTAL TIME LIMIT: 20 MINUTES

PAR SCORE 120–130 BY JUDD	Rack 1	Rack 2	Rack 3	Rack 4	TOTAL

SOLUTION ON PAGE 166

BOARD 36

SCRABBLE BRAND GRAMS

C[3] B[3] A[1] I[1] I[1] H[4] H[4]

O[1] C[3] T[1] R[1] N[1] O[1] O[1]

E[1] E[1] H[4] I[1] R[1] C[3] Y[4]

Triple Score on 2nd Letter

U[1] O[1] L[1] J[8] V[4] C[3] B[3]

Triple Word Score

FOUR RACK TOTAL TIME LIMIT: 20 MINUTES

PAR SCORE 80–90
BY JUDD

SOLUTION ON PAGE 166

Rack 1	Rack 2	Rack 3	Rack 4	TOTAL

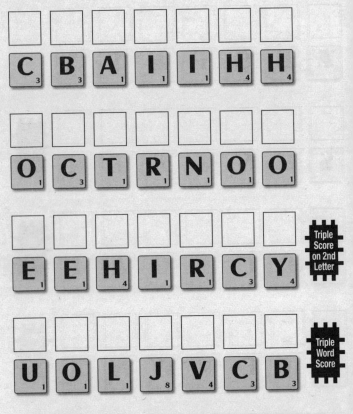

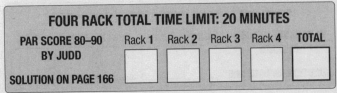

BOARD 37

SCRABBLE® BRAND GRAMS

T E S E A T G

(1 1 1 1 1 1 2)

Y U S O A I N

(4 1 1 1 1 1 1)

Triple Score on 5th Letter

T C C I H L N

(1 3 3 1 4 1 1)

Triple Word Score

I N E N W W O

(1 1 1 1 4 4 1)

FOUR RACK TOTAL TIME LIMIT: 20 MINUTES

PAR SCORE 75–85
BY JUDD

Rack 1	Rack 2	Rack 3	Rack 4	TOTAL

SOLUTION ON PAGE 166

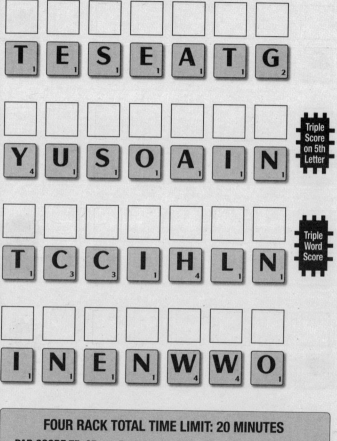

BOARD 38

SCRABBLE GRAMS

R₁ H₄ O₁ Y₄ P₃ L₁ N₁

Triple Word Score

L₁ E₁ O₁ E₁ U₁ N₁ Z₁₀

D₂ A₁ S₁ G₂ A₁ E₁ O₁

Double Word Score

P₃ R₁ O₁ T₁ T₁ I₁ A₁

FOUR RACK TOTAL TIME LIMIT: 20 MINUTES

PAR SCORE 80–90
BY JUDD

SOLUTION ON PAGE 166

Rack 1	Rack 2	Rack 3	Rack 4	TOTAL

BOARD 39

SCRABBLE® BRAND G₂ R₁ A₁ M₃ S₁

I 1	O 1	A 1	N 1	P 3	P 3	L 1	Double Score on 1st Letter
U 1	I 1	L 1	D 2	I 1	A 1	R 1	Triple Word Score
T 1	E 1	A 1	N 1	S 1	T 1	B 3	Double Word Score
N 1	L 1	T 1	R 1	S 1	E 1	Y 4	

FOUR RACK TOTAL TIME LIMIT: 20 MINUTES

PAR SCORE 100–110
BY JUDD

Rack 1	Rack 2	Rack 3	Rack 4	TOTAL

SOLUTION ON PAGE 166

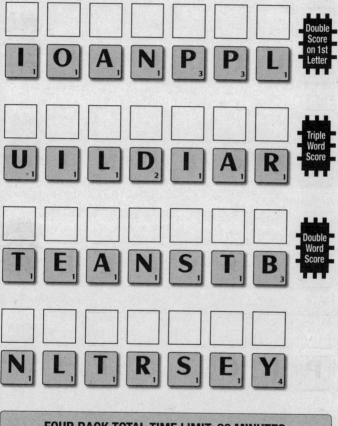

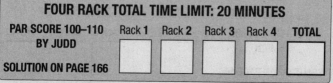

BOARD 40

SCRABBLE® BRAND GRAMS

R T I D A N A

T L A I L F P — Double Word Score

F A A Y L T L — Triple Score on 3rd Letter

I I I Z G G E — Double Score on 1st Letter

FOUR RACK TOTAL TIME LIMIT: 20 MINUTES

PAR SCORE 140–150
BY JUDD

SOLUTION ON PAGE 166

Rack 1	Rack 2	Rack 3	Rack 4	TOTAL

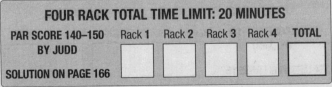

BOARD 41

SCRABBLE® BRAND GRAMS

C₃ I₁ E₁ R₁ T₁ K₅ B₃ — Double Score on 4th Letter

P₃ E₁ O₁ R₁ R₁ I₁ M₃

X₈ O₁ E₁ S₁ C₃ I₁ T₁ — Triple Score on 4th Letter

R₁ E₁ P₃ S₁ O₁ A₁ L₁ — Triple Word Score

FOUR RACK TOTAL TIME LIMIT: 20 MINUTES

PAR SCORE 150–160
BY JUDD

Rack 1	Rack 2	Rack 3	Rack 4	TOTAL

SOLUTION ON PAGE 167

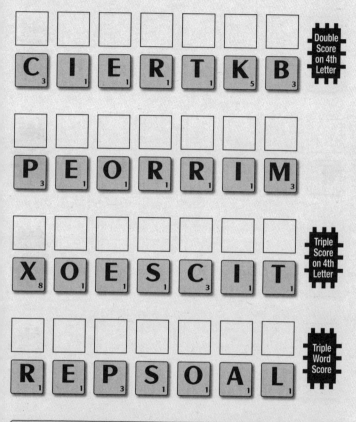

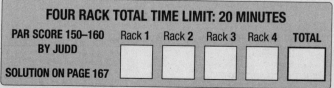

BOARD 42

SCRABBLE® BRAND GRAMS

I₁ Y₄ U₁ N₁ C₃ A₁ L₁ — Double Score on 5th Letter

E₁ Y₄ S₁ G₂ H₄ U₁ I₁ — Double Word Score

A₁ R₁ H₄ A₁ E₁ R₁ T₁ — Triple Score on 4th Letter

G₂ L₁ H₄ A₁ I₁ O₁ T₁

FOUR RACK TOTAL TIME LIMIT: 20 MINUTES

PAR SCORE 35–45
BY JUDD

SOLUTION ON PAGE 167

Rack 1	Rack 2	Rack 3	Rack 4	TOTAL

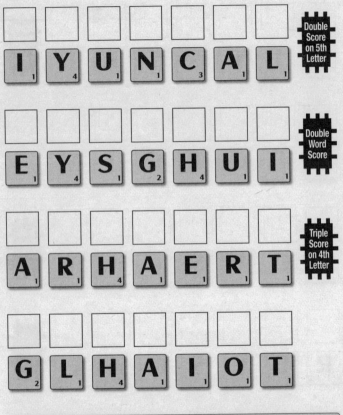

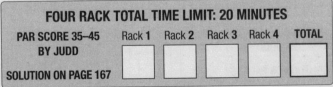

BOARD 43

SCRABBLE® BRAND GRAMS

P₃ O₁ Y₄ R₁ N₁ C₃ I₁

T₁ S₁ O₁ E₁ I₁ R₁ M₃

E₁ I₁ S₁ T₁ H₄ F₄ N₁ — Triple Score on 4th Letter

R₁ N₁ G₂ A₁ E₁ E₁ L₁ — Triple Word Score

FOUR RACK TOTAL TIME LIMIT: 20 MINUTES

PAR SCORE 135–145 BY JUDD	Rack 1	Rack 2	Rack 3	Rack 4	TOTAL

SOLUTION ON PAGE 167

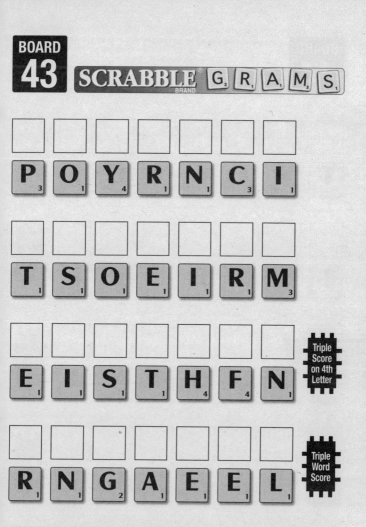

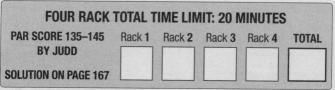

BOARD 44

SCRABBLE® BRAND GRAMS

T 1	R 1	L 1	E 1	I 1	E 1	F 4	
T 1	R 1	V 4	E 1	P 3	O 1	L 1	Triple Score on 4th Letter
D 2	L 1	B 3	O 1	O 1	Y 4	I 1	Double Score on 1st Letter
G 2	T 1	A 1	D 2	H 4	U 1	T 1	Triple Word Score

FOUR RACK TOTAL TIME LIMIT: 20 MINUTES

PAR SCORE 75–85 BY JUDD	Rack 1	Rack 2	Rack 3	Rack 4	TOTAL

SOLUTION ON PAGE 167

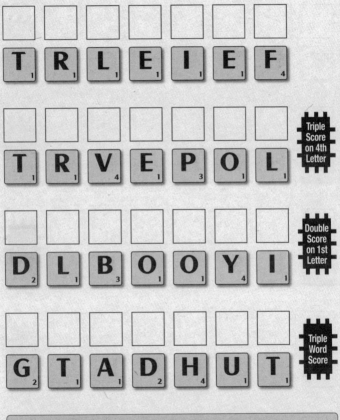

BOARD 45

SCRABBLE GRAMS

T₁	K₅	A₁	T₁	W₄	O₁	Y₄	**Triple Score on 4th Letter**

E₁	H₄	R₁	E₁	G₂	D₂	L₁	**Triple Word Score**

L₁	U₁	S₁	B₃	I₁	F₄	E₁	**Double Word Score**

N₁	L₁	I₁	A₁	G₂	R₁	D₂

FOUR RACK TOTAL TIME LIMIT: 20 MINUTES

PAR SCORE 115–125 BY JUDD

SOLUTION ON PAGE 167

	Rack 1	Rack 2	Rack 3	Rack 4	TOTAL

BOARD 46

SCRABBLE® BRAND GRAMS

S A R D N W O — Double Score on 3rd Letter

N M O E E I N — Triple Score on 3rd Letter

L E H A I S R

S T R E R A L — Double Word Score

FOUR RACK TOTAL TIME LIMIT: 20 MINUTES

PAR SCORE 125–135
BY JUDD

Rack 1	Rack 2	Rack 3	Rack 4	TOTAL

SOLUTION ON PAGE 167

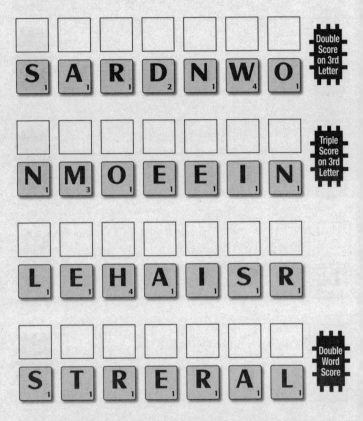

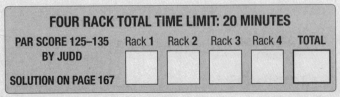

BOARD 47

SCRABBLE GRAMS

A₁ A₁ A₁ U₁ D₂ R₁ M₃

Triple Word Score

A₁ A₁ E₁ I₁ N₁ T₁ B₃

Double Score on 1st Letter

N₁ L₁ M₃ I₁ A₁ I₁ A₁

T₁ U₁ E₁ T₁ A₁ L₁ X₈

Triple Score on 3rd Letter

FOUR RACK TOTAL TIME LIMIT: 20 MINUTES

PAR SCORE 75–85
BY JUDD

SOLUTION ON PAGE 167

	Rack 1	Rack 2	Rack 3	Rack 4	TOTAL

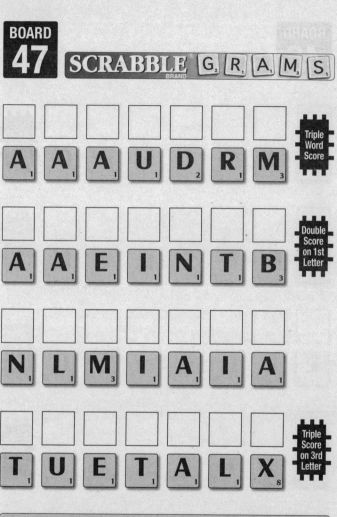

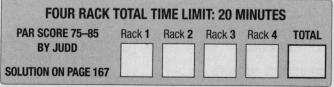

BOARD 48

SCRABBLE® BRAND GRAMS

P₃ R₁ O₁ T₁ T₁ R₁ O₁ — Triple Word Score

E₁ G₂ A₁ O₁ R₁ F₄ U₁

R₁ Q₁₀ C₃ E₁ N₁ I₁ U₁ — Triple Score on 4th Letter

C₃ P₃ L₁ Y₄ S₁ I₁ I₁ — Triple Word Score

FOUR RACK TOTAL TIME LIMIT: 20 MINUTES

PAR SCORE 100–110
BY JUDD

SOLUTION ON PAGE 167

Rack 1	Rack 2	Rack 3	Rack 4	TOTAL

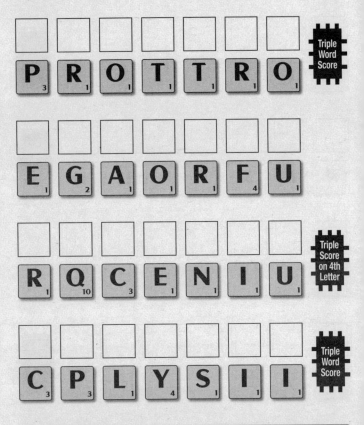

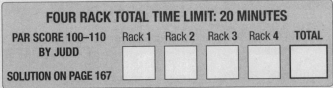

BOARD 49

SCRABBLE® BRAND GRAMS

H₄ T₁ N₁ B₃ I₁ I₁ I₁

Triple Score on 3rd Letter

R₁ E₁ S₁ U₁ N₁ R₁ T₁

Double Word Score

T₁ E₁ U₁ R₁ T₁ A₁ Q₁₀

T₁ N₁ E₁ Y₄ L₁ R₁ W₄

Double Score on 1st Letter

FOUR RACK TOTAL TIME LIMIT: 20 MINUTES

PAR SCORE 135–145 BY JUDD	Rack 1	Rack 2	Rack 3	Rack 4	TOTAL

SOLUTION ON PAGE 167

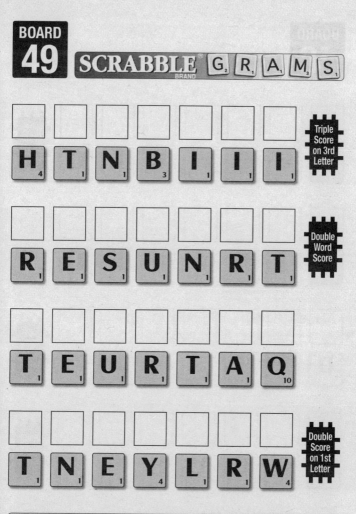

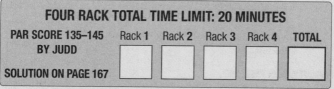

BOARD 50

SCRABBLE® BRAND GRAMS

L₁ E₁ E₁ H₄ R₁ E₁ W₄ — Double Score on 2nd Letter

O₁ T₁ K₅ E₁ U₁ S₁ C₃

U₁ E₁ T₁ Y₄ R₁ H₄ A₁ — Triple Score on 5th Letter

L₁ R₁ G₂ U₁ H₄ O₁ C₃ — Double Word Score

FOUR RACK TOTAL TIME LIMIT: 20 MINUTES

PAR SCORE 75–85

BY JUDD

SOLUTION ON PAGE 167

Rack 1	Rack 2	Rack 3	Rack 4	TOTAL

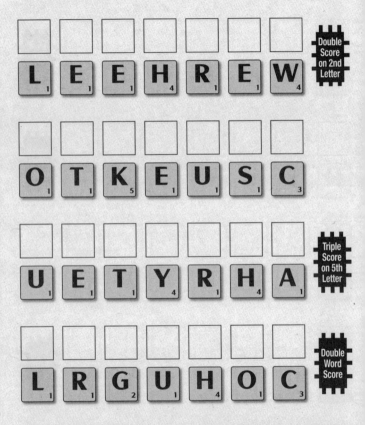

SCRABBLE GRAMS

D₂ **A**₁ **O**₁ **E**₁ **Z**₁₀ **I**₁ **I**₁

Triple Score on 5th Letter

O₁ **I**₁ **E**₁ **R**₁ **G**₂ **T**₁ **V**₄

Double Word Score

L₁ **E**₁ **U**₂ **D**₁ **I**₁ **B**₃ **A**₁

E₁ **P**₃ **Y**₄ **S**₁ **H**₄ **T**₁ **O**₁

Triple Word Score

FOUR RACK TOTAL TIME LIMIT: 20 MINUTES

PAR SCORE 130–140
BY JUDD

SOLUTION ON PAGE 168

Rack 1	Rack 2	Rack 3	Rack 4	TOTAL

BOARD 52

SCRABBLE® BRAND GRAMS

Y	I	L	P	D	N	S	Double Score on 2nd Letter
4	1	1	3	2	1	1	

R	I	I	E	C	D	H	Triple Word Score
1	1	1	1	3	2	4	

S	G	O	O	L	M	N
1	2	1	1	1	3	1

T	O	O	B	M	T	S	Triple Word Score
1	1	1	3	3	1	1	

FOUR RACK TOTAL TIME LIMIT: 20 MINUTES

PAR SCORE 155–165
BY JUDD

SOLUTION ON PAGE 168

Rack 1	Rack 2	Rack 3	Rack 4	TOTAL

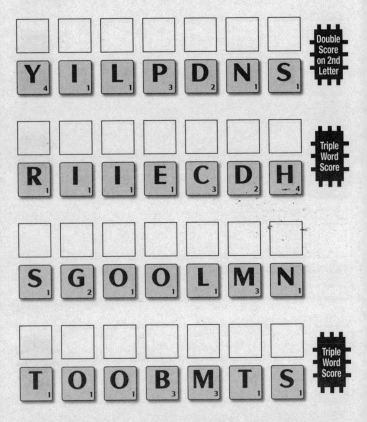

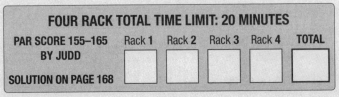

BOARD 53

SCRABBLE® BRAND GRAMS

S 1	R 1	R 1	O 1	E 1	M 3	D 2	Triple Score on 3rd Letter
L 1	E 1	Y 4	T 1	L 1	U 1	G 2	Triple Word Score
I 1	E 1	A 1	N 1	G 2	T 1	S 1	
R 1	O 1	N 1	L 1	D 2	D 2	A 1	Double Word Score

FOUR RACK TOTAL TIME LIMIT: 20 MINUTES

PAR SCORE 100–110
BY JUDD

SOLUTION ON PAGE 168

Rack 1	Rack 2	Rack 3	Rack 4	TOTAL

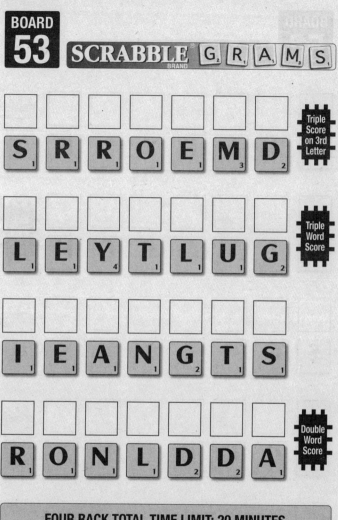

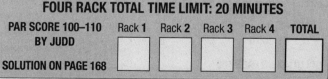

BOARD 54

SCRABBLE® BRAND GRAMS

L₁ A₁ A₁ E₁ R₁ L₁ U₁

T₁ T₁ R₁ O₁ S₁ G₂ N₁ — Triple Word Score

I₁ O₁ A₁ R₁ L₁ J₈ S₁ — Triple Word Score

N₁ O₁ O₁ H₄ C₃ P₃ T₁

FOUR RACK TOTAL TIME LIMIT: 20 MINUTES

PAR SCORE 80–90 BY JUDD	Rack 1	Rack 2	Rack 3	Rack 4	TOTAL

SOLUTION ON PAGE 168

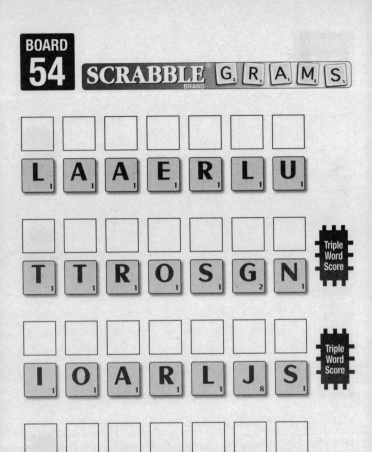

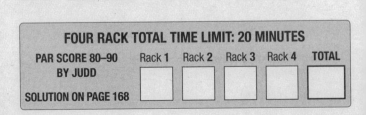

BOARD 55

SCRABBLE GRAMS

S₁ **O**₁ **R**₁ **K**₅ **U**₁ **U**₁ **C**₃ — Triple Score on 3rd Letter

B₃ **M**₃ **O**₁ **M**₃ **A**₁ **L**₁ **E**₁ — Double Word Score

T₁ **O**₁ **C**₃ **N**₁ **N**₁ **I**₁ **U**₁

R₁ **S**₁ **A**₁ **N**₁ **A**₁ **L**₁ **T**₁ — Double Word Score

FOUR RACK TOTAL TIME LIMIT: 20 MINUTES

PAR SCORE 70–80
BY JUDD

SOLUTION ON PAGE 168

Rack 1	Rack 2	Rack 3	Rack 4	TOTAL

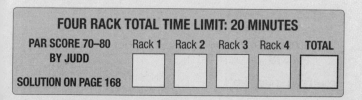

BOARD 56

SCRABBLE® BRAND GRAMS

L 1	E 1	Q 10	A 1	I 1	T 1	U 1	Triple Score on 3rd Letter
X 8	E 1	E 1	G 2	U 1	P 3	N 1	Triple Word Score
O 1	O 1	A 1	R 1	R 1	T 1	T 1	
D 2	F 4	Y 4	X 8	I 1	L 1	O 1	Double Score on 3rd Letter

FOUR RACK TOTAL TIME LIMIT: 20 MINUTES

PAR SCORE 170–180 BY JUDD	Rack 1	Rack 2	Rack 3	Rack 4	TOTAL

SOLUTION ON PAGE 168

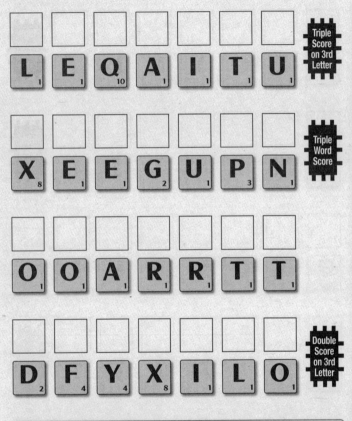

BOARD 57

SCRABBLE® GRAMS

Row 1: L₁ E₁ O₁ Y₄ N₁ H₄ T₁ — Triple Score on 3rd Letter

Row 2: O₁ N₁ T₁ N₁ T₁ J₈ E₁ — Triple Word Score

Row 3: U₁ T₁ L₁ E₁ T₁ K₅ E₁

Row 4: I₁ E₁ I₁ D₂ W₄ M₃ F₄

FOUR RACK TOTAL TIME LIMIT: 20 MINUTES					
PAR SCORE 80–90 BY JUDD	Rack 1	Rack 2	Rack 3	Rack 4	TOTAL
SOLUTION ON PAGE 168					

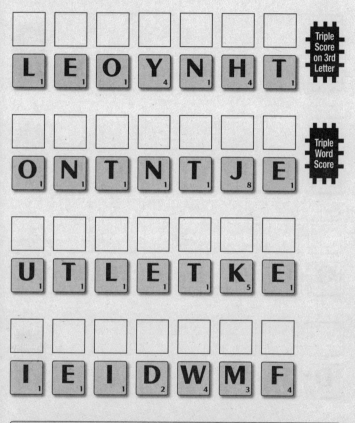

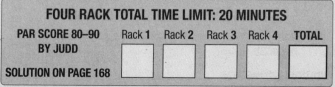

SCRABBLE GRAMS

| S₁ | A₁ | I₁ | M₃ | C₃ | F₄ | S₁ | Triple Score on 3rd Letter |

| E₁ | E₁ | T₁ | V₄ | I₁ | N₁ | A₁ | |

| N₁ | E₁ | N₁ | E₁ | R₁ | U₁ | V₄ | Double Word Score |

| I₁ | S₁ | C₃ | T₁ | R₁ | O₁ | H₄ | Triple Word Score |

FOUR RACK TOTAL TIME LIMIT: 20 MINUTES

PAR SCORE 180–190 BY JUDD	Rack 1	Rack 2	Rack 3	Rack 4	TOTAL
SOLUTION ON PAGE 168					

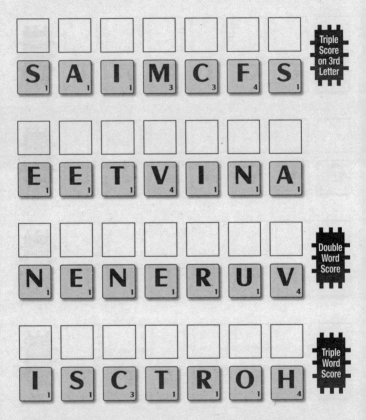

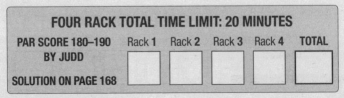

SCRABBLE GRAMS

| G₂ | G₂ | G₂ | L₁ | U₁ | A₁ | E₁ |

Double Score on 3rd Letter

| T₁ | L₁ | O₁ | A₁ | B₃ | E₁ | N₁ |

Triple Score on 5th Letter

| A₁ | R₁ | N₁ | I₁ | E₁ | N₁ | P₃ |

Triple Word Score

| O₁ | A₁ | H₄ | N₁ | R₁ | P₃ | T₁ |

Triple Word Score

FOUR RACK TOTAL TIME LIMIT: 20 MINUTES

PAR SCORE 150–160 BY JUDD

	Rack 1	Rack 2	Rack 3	Rack 4	TOTAL

SOLUTION ON PAGE 168

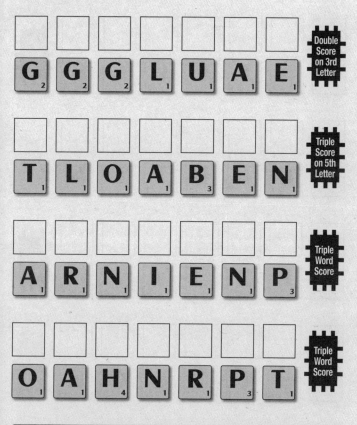

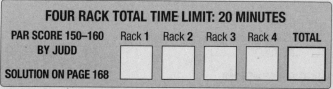

BOARD 60

SCRABBLE® BRAND GRAMS

Rack 1 (Double Word Score): E B T A L A U

Rack 2: N R A E T L N

Rack 3 (Double Word Score): S I D O M I O

Rack 4: Y O L O D G R

FOUR RACK TOTAL TIME LIMIT: 20 MINUTES

PAR SCORE 95–105 BY JUDD	Rack 1	Rack 2	Rack 3	Rack 4	TOTAL

SOLUTION ON PAGE 168

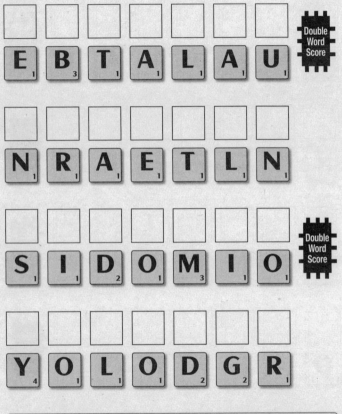

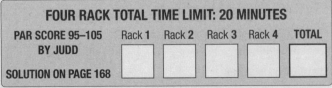

BOARD 61

SCRABBLE® BRAND GRAMS

R N H W T A T

N O I O F I S

Double Score on 1st Letter

L E E B Z A A

D A A H R P P

Triple Score on 5th Letter

FOUR RACK TOTAL TIME LIMIT: 20 MINUTES

PAR SCORE 35–45
BY JUDD

SOLUTION ON PAGE 169

Rack 1	Rack 2	Rack 3	Rack 4	TOTAL

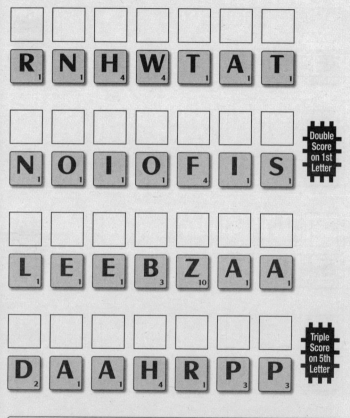

BOARD 62

SCRABBLE BRAND GRAMS

E 1	N 1	F 4	I 1	S 1	U 1	D 2	Double Word Score
R 1	N 1	P 3	A 1	O 1	S 1	L 1	
S 1	O 1	T 1	N 1	I 1	N 1	O 1	Double Word Score
E 1	I 1	O 1	E 1	D 2	S 1	L 1	Triple Word Score

FOUR RACK TOTAL TIME LIMIT: 20 MINUTES

PAR SCORE 135–145 BY JUDD	Rack 1	Rack 2	Rack 3	Rack 4	TOTAL

SOLUTION ON PAGE 169

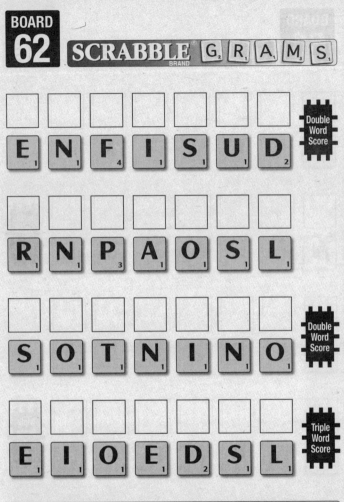

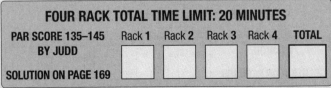

BOARD 63

SCRABBLE® BRAND GRAMS

T₁ T₁ C₃ O₁ A₁ I₁ N₁

A₁ L₁ H₄ M₃ T₁ U₁ E₁ — Double Score on 3rd Letter

E₁ S₁ R₁ I₁ T₁ L₁ A₁

S₁ D₂ R₁ U₁ H₄ A₁ Q₁₀ — Triple Score on 1st Letter

FOUR RACK TOTAL TIME LIMIT: 20 MINUTES

PAR SCORE 105–115
BY JUDD

SOLUTION ON PAGE 169

Rack 1	Rack 2	Rack 3	Rack 4	TOTAL

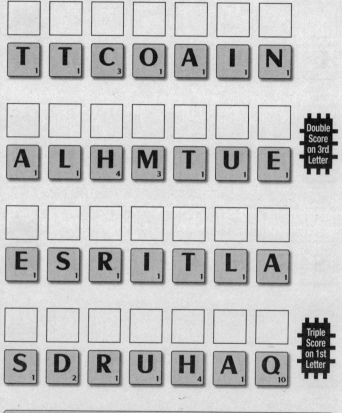

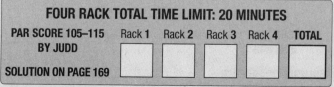

BOARD 64

SCRABBLE® BRAND GRAMS

L1 D2 A1 E1 C3 I1 M3 — Double Word Score

E1 V4 N1 K5 U1 O1 I1 — Triple Word Score

N1 A1 K5 I1 T1 G2 L1 — Double Word Score

C3 N1 P3 I1 I1 S1 E1

FOUR RACK TOTAL TIME LIMIT: 20 MINUTES

PAR SCORE 155–165 BY JUDD	Rack 1	Rack 2	Rack 3	Rack 4	TOTAL

SOLUTION ON PAGE 169

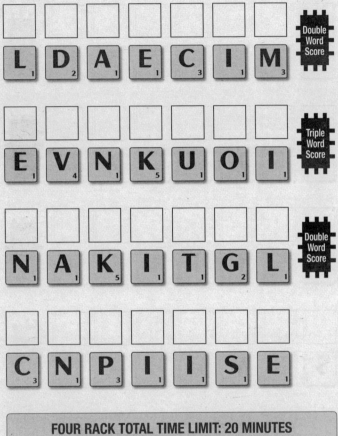

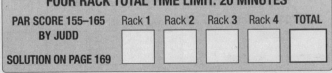

BOARD 65

SCRABBLE® BRAND GRAMS

E S I N R N W — Triple Word Score

G T N S O A M — Triple Word Score

U E G R N O L — Triple Word Score

I R M A I L S

FOUR RACK TOTAL TIME LIMIT: 20 MINUTES

PAR SCORE 185–195
BY JUDD

Rack 1	Rack 2	Rack 3	Rack 4	TOTAL

SOLUTION ON PAGE 169

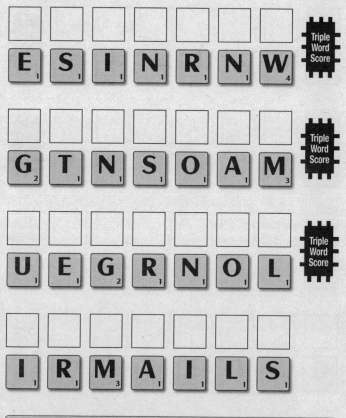

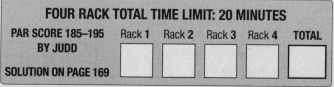

BOARD 66

SCRABBLE® BRAND GRAMS

M R A I A E X — Double Score on 3rd Letter

P T Q U E I A — Triple Score on 3rd Letter

N T E I R T I

O R E E C L O — Double Word Score

FOUR RACK TOTAL TIME LIMIT: 20 MINUTES

PAR SCORE 80–90
BY JUDD

Rack 1	Rack 2	Rack 3	Rack 4	TOTAL

SOLUTION ON PAGE 169

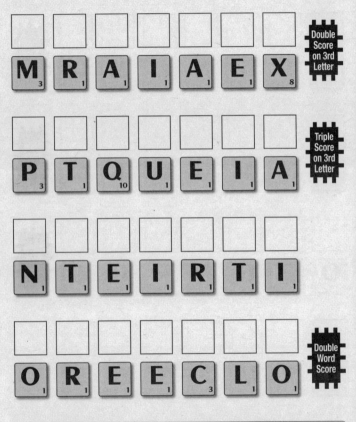

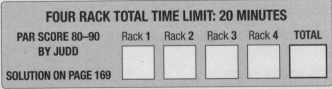

BOARD 67

SCRABBLE® BRAND GRAMS

T L N A O F R

M H I U S T P — Triple Word Score

O O E G N L C — Double Word Score

E S U T S B S

FOUR RACK TOTAL TIME LIMIT: 20 MINUTES

PAR SCORE 145–155 BY JUDD	Rack 1	Rack 2	Rack 3	Rack 4	TOTAL

SOLUTION ON PAGE 169

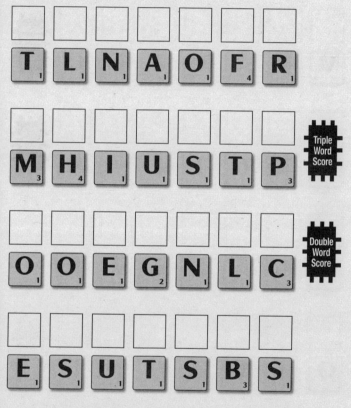

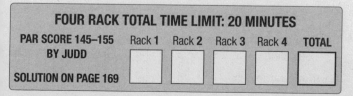

BOARD 68

SCRABBLE BRAND GRAMS

V[4] R[1] A[1] M[3] R[1] E[1] O[1]

Double Score on 2nd Letter

A[1] Y[4] C[3] T[1] I[1] F[4] E[1]

Triple Word Score

T[1] N[1] A[1] O[1] L[1] T[1] E[1]

I[1] I[1] M[3] A[1] M[3] N[1] E[1]

FOUR RACK TOTAL TIME LIMIT: 20 MINUTES

PAR SCORE 110–120 BY JUDD	Rack 1	Rack 2	Rack 3	Rack 4	TOTAL
SOLUTION ON PAGE 169					

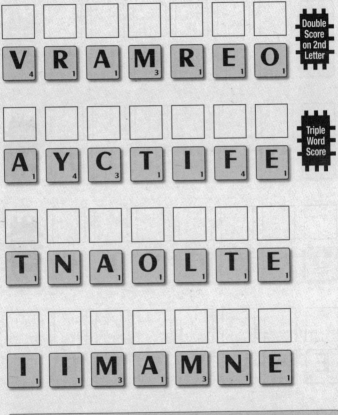

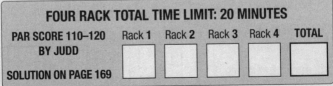

SCRABBLE GRAMS

S₁	O₁	Z₁₀	Q₁₀	O₁	U₁	O₁

Triple Word Score

E₁	R₁	O₁	O₁	U₁	T₁	P₃

Triple Score on 1st Letter

V₄	S₁	A₁	E₁	E₁	I₁	B₃

Double Word Score

E₁	B₃	O₁	O₁	R₁	S₁	R₁

FOUR RACK TOTAL TIME LIMIT: 20 MINUTES

PAR SCORE 50–60 BY JUDD	Rack 1	Rack 2	Rack 3	Rack 4	TOTAL
SOLUTION ON PAGE 169					

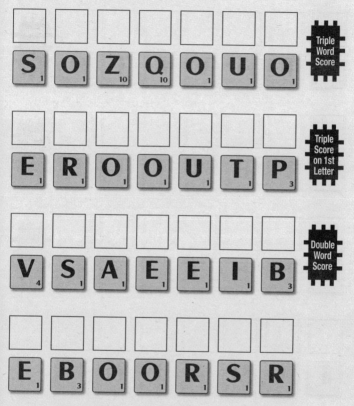

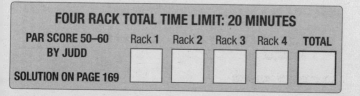

BOARD 70

SCRABBLE® BRAND GRAMS

U 1 | E 1 | H 4 | E 1 | C 3 | I 1 | Q 10

Triple Score on 1st Letter

D 2 | E 1 | E 1 | H 4 | V 4 | L 1 | S 1

C 3 | S 1 | E 1 | O 1 | U 1 | F 4 | R 1

Double Word Score

E 1 | E 1 | D 2 | A 1 | T 1 | B 3 | H 4

FOUR RACK TOTAL TIME LIMIT: 20 MINUTES

PAR SCORE 120–130
BY JUDD

SOLUTION ON PAGE 169

Rack 1	Rack 2	Rack 3	Rack 4	TOTAL

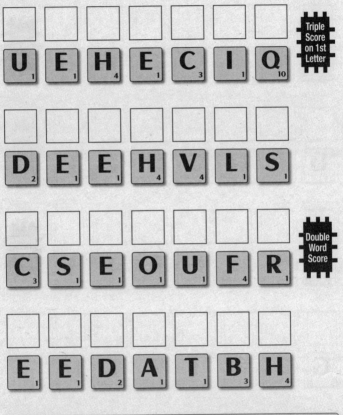

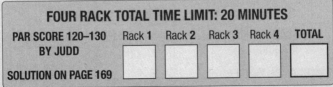

SCRABBLE GRAMS

U₁	R₁	S₁	K₅	Q₁₀	A₁	S₁

Triple Word Score

U₁	R₁	X₈	R₁	I₁	O₁	O₁

N₁	Y₄	A₁	I₁	T₁	I₁	S₁

Double Word Score

G₂	L₁	N₁	I₁	I₁	L₁	M₃

FOUR RACK TOTAL TIME LIMIT: 20 MINUTES

PAR SCORE 90–100 BY JUDD	Rack 1	Rack 2	Rack 3	Rack 4	TOTAL

SOLUTION ON PAGE 170

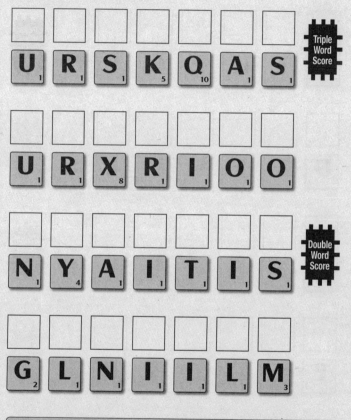

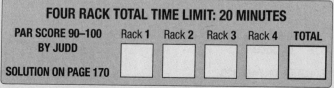

BOARD 72

SCRABBLE® BRAND GRAMS

E₁ E₁ O₁ D₂ N₁ Y₄ M₃ — Double Score on 1st Letter

Y₄ N₁ E₁ R₁ H₄ L₁ C₃ — Triple Word Score

C₃ P₃ L₁ L₁ Y₄ K₅ U₁

T₁ E₁ I₁ E₁ R₁ P₃ L₁ — Double Word Score

FOUR RACK TOTAL TIME LIMIT: 20 MINUTES

PAR SCORE 155–165
BY JUDD

SOLUTION ON PAGE 170

Rack 1	Rack 2	Rack 3	Rack 4	TOTAL

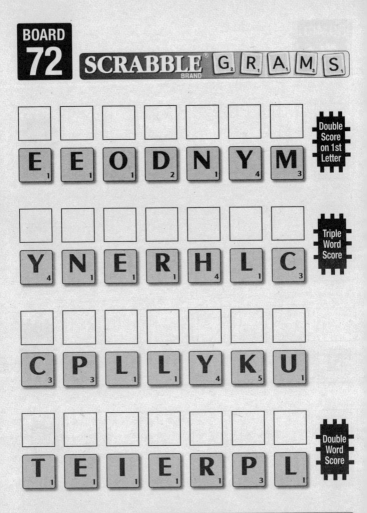

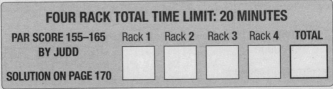

BOARD 73

SCRABBLE® BRAND GRAMS

G N O I L G F — Triple Score on 4th Letter

A L N I E T O — Triple Word Score

E D D N E E E

P C O O M T S — Triple Word Score

FOUR RACK TOTAL TIME LIMIT: 20 MINUTES

PAR SCORE 150–160
BY JUDD

Rack 1	Rack 2	Rack 3	Rack 4	TOTAL

SOLUTION ON PAGE 170

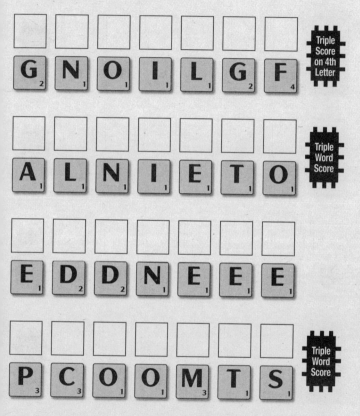

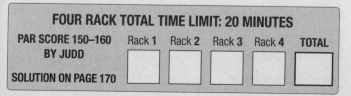

SCRABBLE GRAMS

Double Score on 1st Letter

| N₁ | D₂ | O₁ | T₁ | E₁ | M₃ | R₁ |

| T₁ | S₁ | E₁ | A₁ | R₁ | T₁ | D₂ |

Double Word Score

| B₃ | E₁ | R₁ | A₁ | L₁ | Y₄ | L₁ |

Double Score on 5th Letter

| E₁ | T₁ | T₁ | T₁ | P₃ | M₃ | A₁ |

FOUR RACK TOTAL TIME LIMIT: 20 MINUTES

PAR SCORE 130–140 BY JUDD

SOLUTION ON PAGE 170

	Rack 1	Rack 2	Rack 3	Rack 4	TOTAL

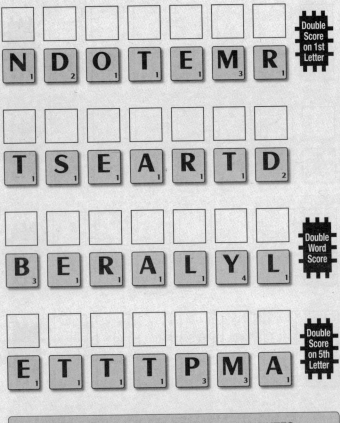

BOARD 75

SCRABBLE® BRAND GRAMS

M₃ N₁ E₁ G₂ T₁ S₁ E₁ — Double Word Score

T₁ O₁ H₄ K₅ R₁ A₁ N₁

I₁ I₁ E₁ U₁ Q₁₀ S₁ L₁ — Double Word Score

D₂ A₁ C₃ O₁ P₃ R₁ I₁ — Double Word Score

FOUR RACK TOTAL TIME LIMIT: 20 MINUTES

PAR SCORE 150–160
BY JUDD

SOLUTION ON PAGE 170

Rack 1	Rack 2	Rack 3	Rack 4	TOTAL

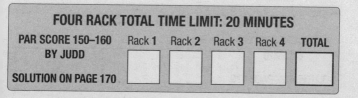

BOARD 76

SCRABBLE® BRAND GRAMS

C S S R T E E

E U R B S M L

Double Score on 3rd Letter

C E U S Y D O

Double Word Score

H I R Y P T O

FOUR RACK TOTAL TIME LIMIT: 20 MINUTES

PAR SCORE 100–110 BY JUDD	Rack 1	Rack 2	Rack 3	Rack 4	TOTAL
SOLUTION ON PAGE 170					

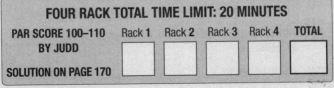

BOARD 77

SCRABBLE® BRAND GRAMS

O₁ C₃ N₁ A₁ W₄ S₁ P₃

Double Word Score

C₃ E₁ N₁ C₃ I₁ S₁ E₁

A₁ Y₄ C₃ C₃ A₁ V₄ N₁

Triple Score on 3rd Letter

O₁ C₃ E₁ L₁ N₁ E₁ H₄

FOUR RACK TOTAL TIME LIMIT: 20 MINUTES

PAR SCORE 175–185 BY JUDD	Rack 1	Rack 2	Rack 3	Rack 4	TOTAL

SOLUTION ON PAGE 170

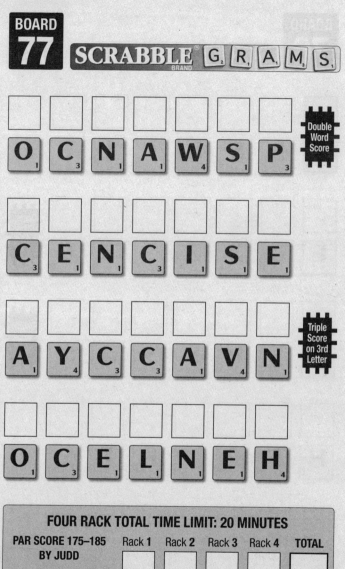

SCRABBLE GRAMS

E₁	E₁	R₁	D₂	I₁	I₁	T₁

							Triple Word Score
E₁	A₁	T₁	I₁	C₃	T₁	D₂	

							Triple Word Score
T₁	I₁	H₄	R₁	S₁	A₁	N₁	

Y₄	E₁	E₁	U₁	U₁	L₁	L₁

FOUR RACK TOTAL TIME LIMIT: 20 MINUTES

PAR SCORE 110–120 BY JUDD	Rack 1	Rack 2	Rack 3	Rack 4	TOTAL
SOLUTION ON PAGE 170					

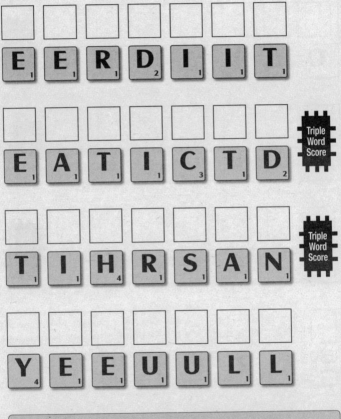

BOARD 79

SCRABBLE® BRAND GRAMS

T 1	S 1	A 1	L 1	E 1	P 3	R 1	
L 1	U 1	A 1	A 1	E 1	T 1	P 3	Triple Word Score
I 1	O 1	Y 4	H 4	M 3	C 3	T 1	Triple Word Score
E 1	L 1	R 1	I 1	S 1	P 3	C 3	

FOUR RACK TOTAL TIME LIMIT: 20 MINUTES

PAR SCORE 155–165
BY JUDD

SOLUTION ON PAGE 170

Rack 1	Rack 2	Rack 3	Rack 4	TOTAL

BOARD 80

SCRABBLE GRAMS

D₂	O₁	O₁	A₁	N₁	I₁	L₁

A₁	E₁	R₁	L₁	T₁	C₃	U₁	Double Word Score

H₄	T₁	R₁	C₃	E₁	E₁	A₁	Triple Score on 3rd Letter

A₁	I₁	R₁	E₁	Y₄	M₃	C₃	Triple Score on 4th Letter

FOUR RACK TOTAL TIME LIMIT: 20 MINUTES

PAR SCORE 65–75
BY JUDD

SOLUTION ON PAGE 170

Rack 1	Rack 2	Rack 3	Rack 4	TOTAL

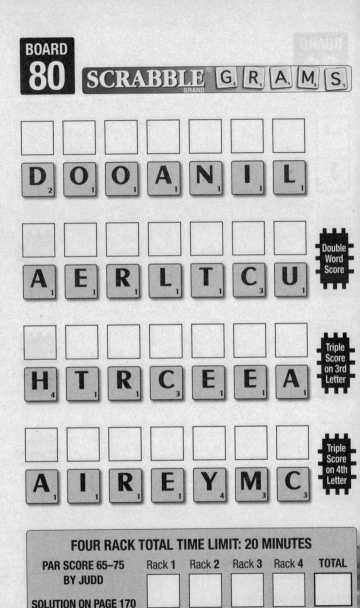

BOARD 81

SCRABBLE® BRAND GRAMS

I I I T P N C

H E U S G O M — Double Word Score

L T R A Y I F — Double Score on 1st Letter

L E R A P I R — Triple Score on 3rd Letter

FOUR RACK TOTAL TIME LIMIT: 20 MINUTES

PAR SCORE 135–145
BY JUDD

SOLUTION ON PAGE 171

Rack 1	Rack 2	Rack 3	Rack 4	TOTAL

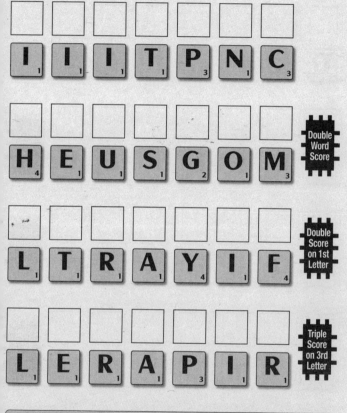

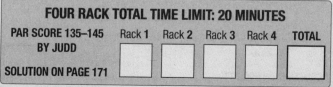

BOARD 82

SCRABBLE® BRAND GRAMS

Y[4] I[1] O[1] A[1] T[1] M[3] L[1]

I[1] V[4] V[4] F[4] Y[4] I[1] I[1]

Triple Score on 2nd Letter

T[1] O[1] L[1] U[1] A[1] K[5] W[4]

Triple Score on 4th Letter

A[1] N[1] H[4] M[3] S[1] O[1] O[1]

Double Score on 1st Letter

FOUR RACK TOTAL TIME LIMIT: 20 MINUTES

PAR SCORE 70–80
BY JUDD

SOLUTION ON PAGE 171

Rack 1	Rack 2	Rack 3	Rack 4	TOTAL

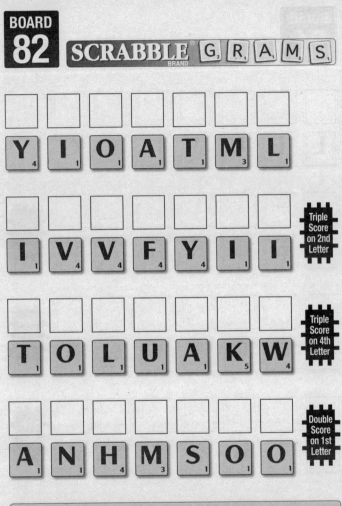

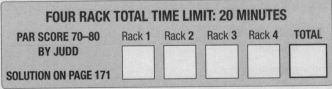

BOARD 83

SCRABBLE® BRAND GRAMS

L₁	E₁	U₁	N₁	N₁	L₁	S₁

D 2	D 2	C 3	S 1	E 1	E 1	N 1	Double Score on 4th Letter

H 4	W 4	O 1	D 2	S 1	S 1	A 1	Triple Score on 2nd Letter

C 3	T 1	H 4	R 1	S 1	Y 4	A 1	Double Word Score

FOUR RACK TOTAL TIME LIMIT: 20 MINUTES

PAR SCORE 140–150
BY JUDD

SOLUTION ON PAGE 171

Rack 1	Rack 2	Rack 3	Rack 4	TOTAL

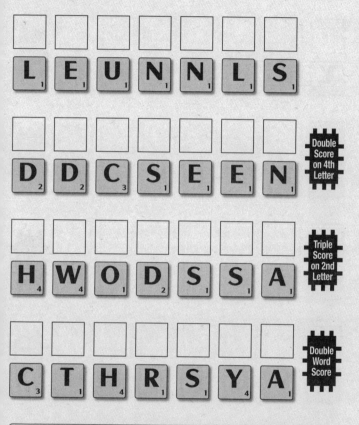

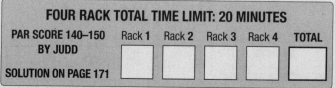

SCRABBLE GRAMS

L₁ R₁ T₁ N₁ O₁ P₃ O₁ — Double Word Score

R₁ E₁ H₄ I₁ R₁ T₁ R₁

L₁ T₁ B₃ I₁ U₁ H₄ A₁ — Double Word Score

E₁ V₄ C₃ E₁ A₁ L₁ O₁

FOUR RACK TOTAL TIME LIMIT: 20 MINUTES

PAR SCORE 65–75
BY JUDD

SOLUTION ON PAGE 171

	Rack 1	Rack 2	Rack 3	Rack 4	TOTAL

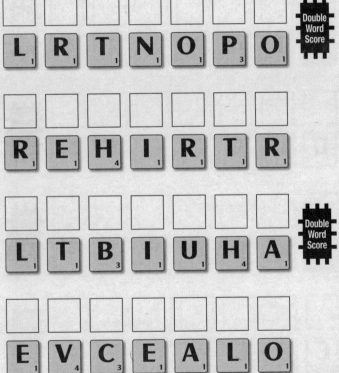

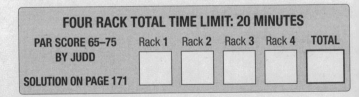

BOARD 85

SCRABBLE® BRAND GRAMS

S[1] L[1] A[1] I[1] F[4] C[3] A[1]

Triple Word Score

E[1] U[1] R[1] U[1] B[3] C[3] M[3]

Double Score on 3rd Letter

R[1] I[1] E[1] T[1] S[1] J[8] T[1]

Triple Score on 1st Letter

E[1] E[1] E[1] I[1] L[1] E[1] M[3]

FOUR RACK TOTAL TIME LIMIT: 20 MINUTES

PAR SCORE 120–130 BY JUDD	Rack 1	Rack 2	Rack 3	Rack 4	TOTAL

SOLUTION ON PAGE 171

BOARD 86

SCRABBLE® BRAND GRAMS

R E A B A P L

N E E G O B N — Double Word Score

E O L W V T E — Double Word Score

E O V K R E I — Triple Word Score

FOUR RACK TOTAL TIME LIMIT: 20 MINUTES

PAR SCORE 90–100
BY JUDD

SOLUTION ON PAGE 171

Rack 1	Rack 2	Rack 3	Rack 4	TOTAL

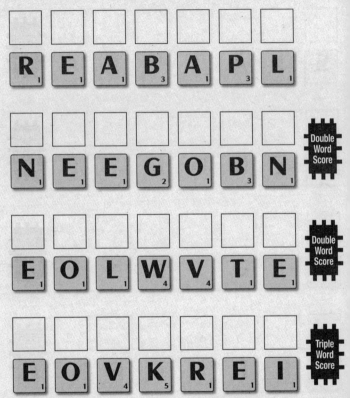

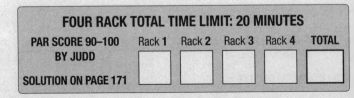

BOARD 87

SCRABBLE® BRAND GRAMS

E I A T V R A — Double Score on 1st Letter

R E N W G I S — Triple Score on 2nd Letter

E T O C U K R — Triple Word Score

N E F U A R C — Triple Word Score

FOUR RACK TOTAL TIME LIMIT: 20 MINUTES

PAR SCORE 165–175
BY JUDD

SOLUTION ON PAGE 171

Rack 1	Rack 2	Rack 3	Rack 4	TOTAL

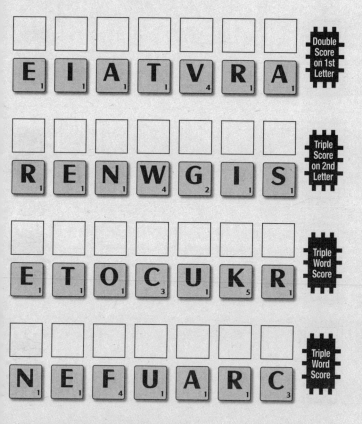

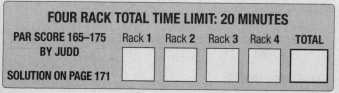

BOARD
88

SCRABBLE® BRAND GRAMS

V4 T1 R1 A1 N1 E1 E1 — Triple Word Score

R1 L1 A1 E1 L1 C3 L1 — Double Word Score

C3 C3 K5 L1 U1 E1 H4 — Double Score on 2nd Letter

O1 U1 E1 S1 G2 R1 N1

FOUR RACK TOTAL TIME LIMIT: 20 MINUTES

PAR SCORE 145–155 BY JUDD	Rack 1	Rack 2	Rack 3	Rack 4	TOTAL
SOLUTION ON PAGE 171					

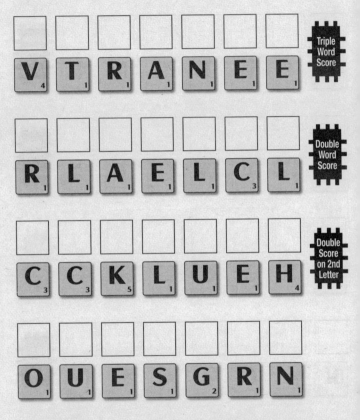

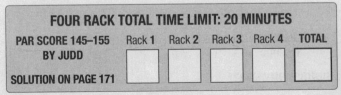

BOARD 89

SCRABBLE® BRAND GRAMS

R I W N S N E — Triple Score on 4th Letter

H A A T T C A — Triple Word Score

R B L O E N E

R A C T O S N — Double Word Score

FOUR RACK TOTAL TIME LIMIT: 20 MINUTES

PAR SCORE 110–120
BY JUDD

SOLUTION ON PAGE 171

Rack 1	Rack 2	Rack 3	Rack 4	TOTAL

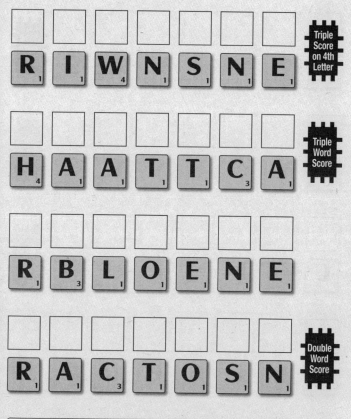

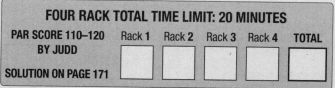

BOARD 90

SCRABBLE® BRAND GRAMS

I E N T C O S — Double Word Score

E Y C E S R C

L S L N R U O

L L R A E E C

FOUR RACK TOTAL TIME LIMIT: 20 MINUTES

PAR SCORE 125–135
BY JUDD

SOLUTION ON PAGE 171

Rack 1	Rack 2	Rack 3	Rack 4	TOTAL

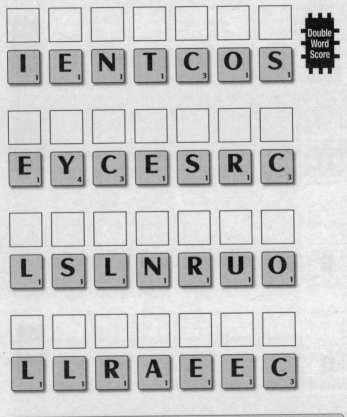

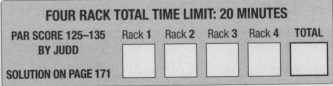

SCRABBLE® GRAMS

Triple Score on 3rd Letter

H₄	I₁	T₁	T₁	O₁	R₁	Y₄

Double Word Score

O₁	O₁	I₁	S₁	G₂	S₁	P₃

S₁	Y₄	P₃	R₁	R₁	E₁	A₁

Triple Word Score

S₁	N₁	N₁	T₁	O₁	S₁	E₁

FOUR RACK TOTAL TIME LIMIT: 20 MINUTES

PAR SCORE 110–120 BY JUDD	Rack 1	Rack 2	Rack 3	Rack 4	TOTAL
SOLUTION ON PAGE 172					

BOARD 92

SCRABBLE® BRAND GRAMS

R₁ T₁ C₃ O₁ O₁ S₁ N₁ — Triple Word Score

C₃ G₂ E₁ A₁ I₁ L₁ R₁

A₁ T₁ S₁ A₁ H₄ H₄ R₁ — Triple Score on 2nd Letter

F₄ G₂ L₁ R₁ N₁ O₁ U₁

FOUR RACK TOTAL TIME LIMIT: 20 MINUTES

PAR SCORE 140–150 BY JUDD	Rack 1	Rack 2	Rack 3	Rack 4	TOTAL

SOLUTION ON PAGE 172

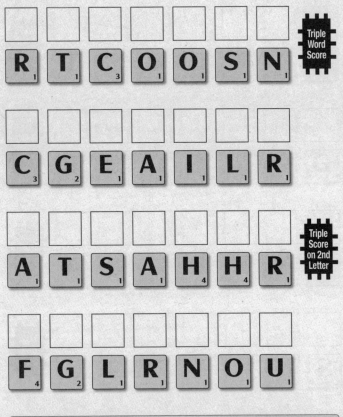

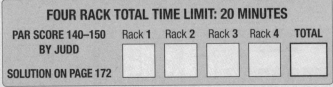

BOARD 93

SCRABBLE GRAMS

R A E O T S T

R I F I D D E

O B M X T U R

Triple Score on 3rd Letter

R U E A T N D

Double Word Score

FOUR RACK TOTAL TIME LIMIT: 20 MINUTES

PAR SCORE 105–115
BY JUDD

Rack 1	Rack 2	Rack 3	Rack 4	TOTAL

SOLUTION ON PAGE 172

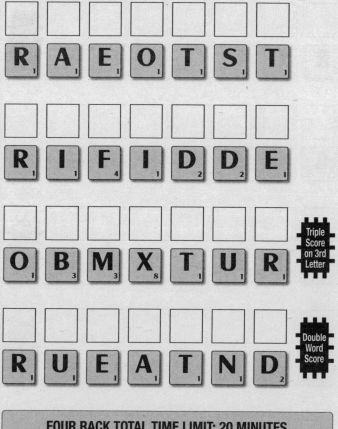

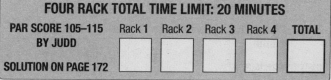

SCRABBLE BRAND **G₂R₁A₁M₃S₁**

Y₄ O₁ H₄ D₂ D₂ D₂ S₁

Triple Score on 2nd Letter

T₁ A₁ E₁ D₂ R₁ A₁ R₁

E₁ B₃ D₂ R₁ T₁ T₁ O₁

O₁ A₁ R₁ E₁ D₂ R₁ C₃

Triple Score on 4th Letter

FOUR RACK TOTAL TIME LIMIT: 20 MINUTES

PAR SCORE 55–65
BY JUDD

SOLUTION ON PAGE 172

	Rack 1	Rack 2	Rack 3	Rack 4	TOTAL

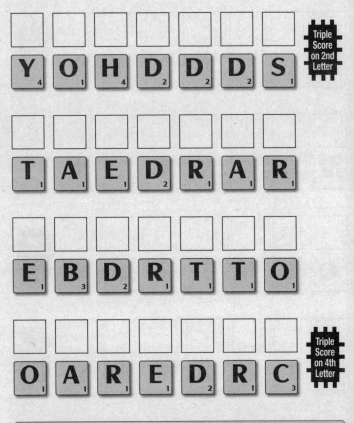

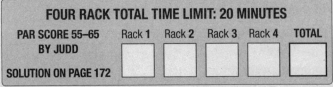

BOARD 95

SCRABBLE® BRAND GRAMS

M[3] E[1] S[1] O[1] B[3] A[1] A[1]

Triple Score on 2nd Letter

N[1] O[1] E[1] T[1] T[1] T[1] R[1]

A[1] E[1] U[1] T[1] R[1] Q[10] R[1]

Triple Score on 1st Letter

L[1] T[1] G[2] I[1] I[1] A[1] Y[4]

FOUR RACK TOTAL TIME LIMIT: 20 MINUTES

PAR SCORE 140–150
BY JUDD

Rack 1	Rack 2	Rack 3	Rack 4	TOTAL

SOLUTION ON PAGE 172

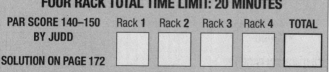

BOARD 96 SCRABBLE GRAMS

W O L O P H I — Triple Score on 2nd Letter

O O Y S T M B — Triple Word Score

R E A A Y S S

O I E E V T M

FOUR RACK TOTAL TIME LIMIT: 20 MINUTES

PAR SCORE 145–155
BY JUDD

SOLUTION ON PAGE 172

Rack 1	Rack 2	Rack 3	Rack 4	TOTAL

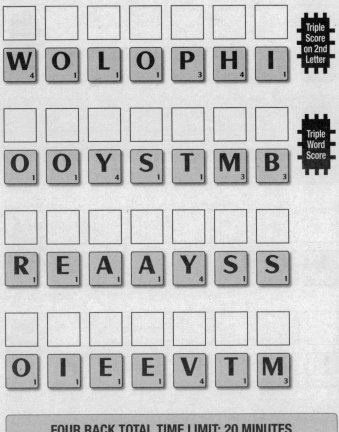

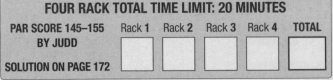

SCRABBLE GRAMS

| P₃ | C₃ | I₁ | L₁ | S₁ | A₁ | T₁ |

Double Score on 3rd Letter

| A₁ | S₁ | P₃ | T₁ | L₁ | O₁ | I₁ |

| E₁ | U₁ | C₃ | M₃ | R₁ | A₁ | S₁ |

| N₁ | T₁ | M₃ | R₁ | D₂ | A₁ | A₁ |

Double Score on 3rd Letter

FOUR RACK TOTAL TIME LIMIT: 20 MINUTES

PAR SCORE 80–90 BY JUDD	Rack 1	Rack 2	Rack 3	Rack 4	TOTAL
SOLUTION ON PAGE 172					

BOARD 98

SCRABBLE® BRAND GRAMS

Y₄ U₁ I₁ E₁ L₁ L₁ V₄ — Double Score on 3rd Letter

A₁ E₁ M₃ I₁ T₁ T₁ I₁ — Double Word Score

I₁ Y₄ L₁ A₁ L₁ T₁ V₄ — Double Word Score

T₁ A₁ E₁ R₁ T₁ Y₄ T₁

FOUR RACK TOTAL TIME LIMIT: 20 MINUTES

PAR SCORE 105–115
BY JUDD

SOLUTION ON PAGE 172

Rack 1	Rack 2	Rack 3	Rack 4	TOTAL

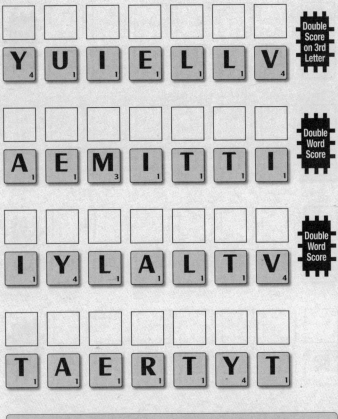

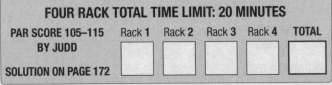

SCRABBLE® G₂R₁A₁M₃S₁

R₁ L₁ O₁ A₁ L₁ C₃ D₂ — Triple Word Score

L₁ A₁ T₁ N₁ I₁ I₁ I₁

E₁ R₁ A₁ S₁ O₁ T₁ M₃ — Double Score on 1st Letter

R₁ N₁ D₂ B₃ O₁ A₁ I₁ — Double Word Score

FOUR RACK TOTAL TIME LIMIT: 20 MINUTES

PAR SCORE 175–185 BY JUDD	Rack 1	Rack 2	Rack 3	Rack 4	TOTAL
SOLUTION ON PAGE 172					

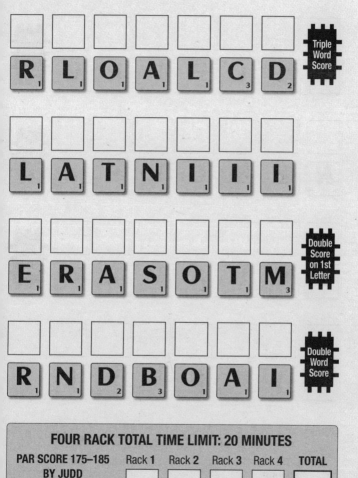

BOARD 100

SCRABBLE® BRAND GRAMS

Y4 L1 L1 P3 M3 R1 U1

Triple Score on 4th Letter

H4 E1 I1 G2 H4 S1 T1

N1 U1 N1 A1 M3 G2 N1

Double Word Score

O1 I1 T1 B3 N1 U1 L1

FOUR RACK TOTAL TIME LIMIT: 20 MINUTES

PAR SCORE 100–110 BY JUDD	Rack 1	Rack 2	Rack 3	Rack 4	TOTAL

SOLUTION ON PAGE 172

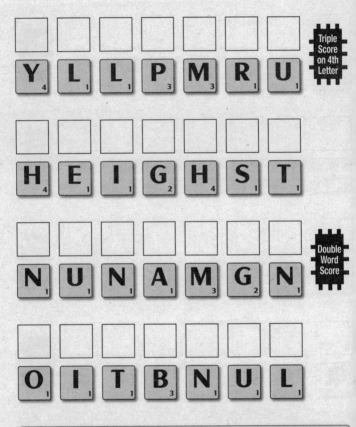

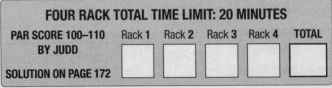

BOARD 101

SCRABBLE® BRAND GRAMS

O	S	R	T	I	Y	H
1	1	1	1	1	4	4

Double Score on 1st Letter

I	I	R	L	D	E	F
1	1	1	1	2	1	4

Triple Score on 4th Letter

R	A	A	E	T	G	R
1	1	1	1	1	2	1

O	H	S	G	U	R	T
1	4	1	2	1	1	1

Triple Word Score

FOUR RACK TOTAL TIME LIMIT: 20 MINUTES

PAR SCORE 105–115
BY JUDD

Rack 1	Rack 2	Rack 3	Rack 4	TOTAL

SOLUTION ON PAGE 173

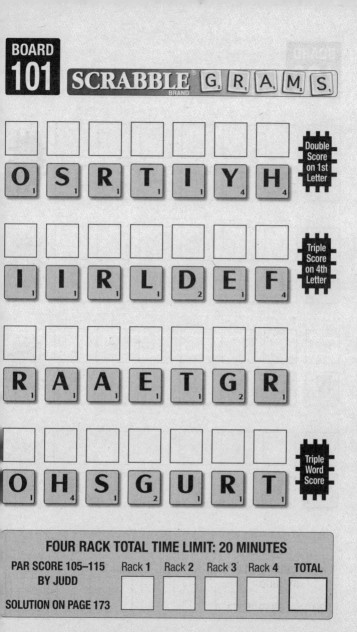

BOARD 102

SCRABBLE® BRAND GRAMS

P₃ Y₄ E₁ A₁ A₁ P₃ H₄

Triple Word Score

N₁ I₁ G₂ R₁ A₁ R₁ A₁

Double Word Score

T₁ E₁ N₁ I₁ E₁ T₁ D₂

U₁ S₁ U₁ D₂ O₁ E₁ T₁

Double Score on 1st Letter

FOUR RACK TOTAL TIME LIMIT: 20 MINUTES

PAR SCORE 145–155
BY JUDD

SOLUTION ON PAGE 173

Rack 1	Rack 2	Rack 3	Rack 4	TOTAL

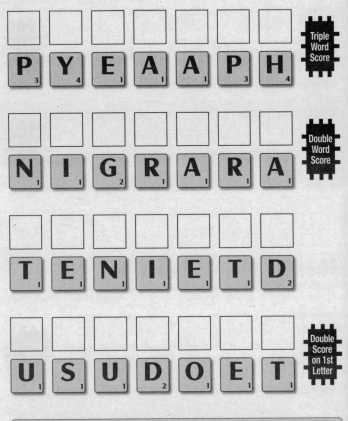

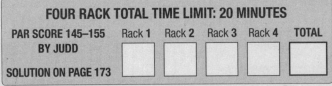

BOARD 103

SCRABBLE® BRAND GRAMS

E[1] P[3] N[1] A[1] E[1] K[5] D[2] — Triple Score on 1st Letter

K[5] E[1] A[1] A[1] S[1] D[2] N[1] — Double Word Score

I[1] A[1] L[1] D[2] C[3] Y[4] E[1]

P[3] O[1] R[1] O[1] A[1] A[1] T[1] — Triple Word Score

FOUR RACK TOTAL TIME LIMIT: 20 MINUTES

PAR SCORE 75–85
BY JUDD

SOLUTION ON PAGE 173

Rack 1	Rack 2	Rack 3	Rack 4	TOTAL

BOARD 104

SCRABBLE GRAMS

O O T M R F A — Triple Score on 1st Letter

O	O	T	M	R	F	A
1	1	1	3	1	4	1

R J G E G U L — Double Score on 1st Letter

R	J	G	E	G	U	L
1	8	2	1	2	1	1

I I O R O D T

I	I	O	R	O	D	T
1	1	1	1	1	2	1

L L L O O B F — Triple Word Score

L	L	L	O	O	B	F
1	1	1	1	1	3	4

FOUR RACK TOTAL TIME LIMIT: 20 MINUTES

PAR SCORE 80–90
BY JUDD

SOLUTION ON PAGE 173

Rack 1	Rack 2	Rack 3	Rack 4	TOTAL

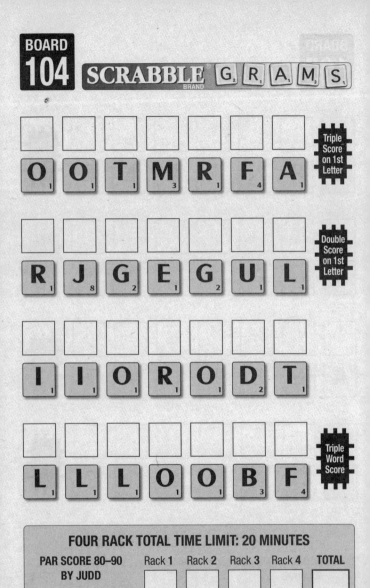

SCRABBLE® BRAND GRAMS

V₄	R₁	R₁	C₃	E₁	E₁	L₁

Double Word Score

O₁	O₁	O₁	E₁	E₁	N₁	S₁

A₁	E₁	S₁	R₁	D₂	H₄	T₁

Triple Word Score

Y₄	O₁	G₂	D₂	F₄	O₁	O₁

Triple Score on 4th Letter

FOUR RACK TOTAL TIME LIMIT: 20 MINUTES

**PAR SCORE 80–90
BY JUDD**

SOLUTION ON PAGE 173

	Rack 1	Rack 2	Rack 3	Rack 4	TOTAL

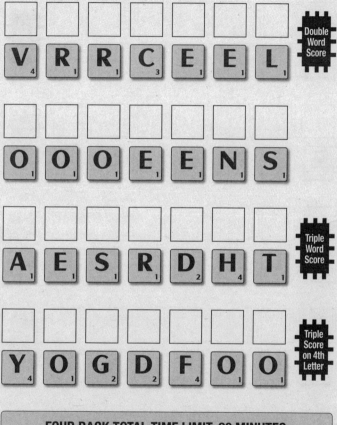

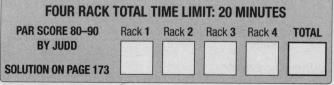

SCRABBLE® GRAMS

N₁ N₁ W₄ R₁ I₁ O₁ F₄   Double Word Score

E₁ D₂ N₁ K₅ L₁ S₁ I₁

D₂ N₁ O₁ N₁ Y₄ U₁ P₃   Triple Word Score

A₁ U₁ R₁ Y₄ L₁ R₁ H₄

FOUR RACK TOTAL TIME LIMIT: 20 MINUTES

PAR SCORE 80–90
BY JUDD

SOLUTION ON PAGE 173

Rack 1	Rack 2	Rack 3	Rack 4	TOTAL

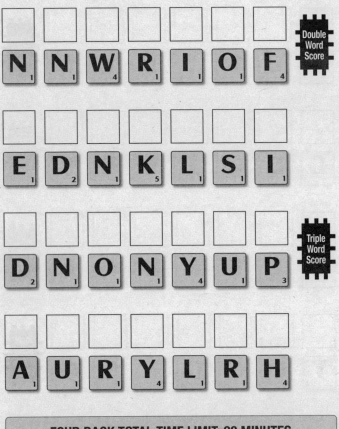

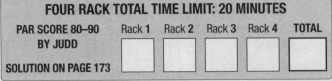

BOARD 107

SCRABBLE® BRAND GRAMS

T₁ L₁ O₁ Y₄ S₁ S₁ G₂ — Triple Word Score

L₁ E₁ A₁ I₁ L₁ T₁ D₂ — Double Word Score

E₁ A₁ E₁ P₃ D₂ T₁ A₁

T₁ P₃ G₂ G₂ I₁ S₁ O₁ — Triple Score on 2nd Letter

FOUR RACK TOTAL TIME LIMIT: 20 MINUTES

PAR SCORE 75–85
BY JUDD

SOLUTION ON PAGE 173

Rack 1	Rack 2	Rack 3	Rack 4	TOTAL

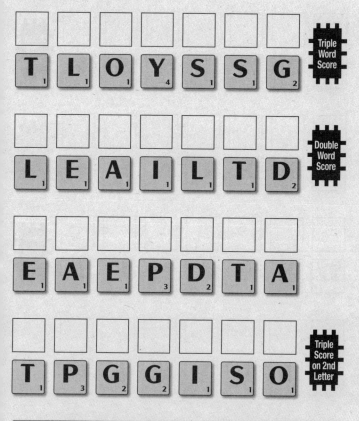

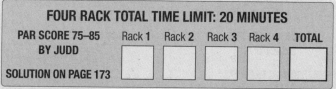

BOARD 108

SCRABBLE® BRAND GRAMS

I T A T S S R — Triple Word Score

A E R C N H C — Triple Word Score

W T E R H E A — Triple Score on 1st Letter

R E P E U S S

FOUR RACK TOTAL TIME LIMIT: 20 MINUTES

PAR SCORE 190–200
BY JUDD

SOLUTION ON PAGE 173

Rack 1	Rack 2	Rack 3	Rack 4	TOTAL

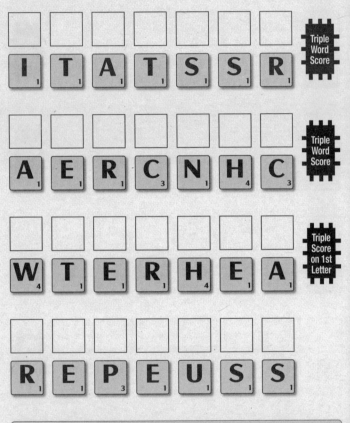

BOARD 109

SCRABBLE BRAND **GRAMS**

Triple Word Score

E	L	N	C	A	A	M
1	1	1	3	1	1	3

C	F	I	S	B	A	R
3	4	1	1	3	1	1

N	T	N	I	A	T	T
1	1	1	1	1	1	1

N	I	A	E	R	I	L
1	1	1	1	1	1	1

FOUR RACK TOTAL TIME LIMIT: 20 MINUTES

PAR SCORE 130–140
BY JUDD

SOLUTION ON PAGE 173

	Rack 1	Rack 2	Rack 3	Rack 4	TOTAL

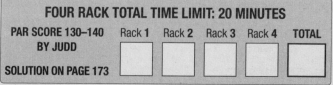

BOARD 110

SCRABBLE® BRAND GRAMS

Triple Score on 3rd Letter

Z 10	E 1	L 1	B 3	N 1	L 1	E 1

V 4	H 4	H 4	I 1	W 4	C 3	A 1

Double Word Score

H 4	U 1	R 1	S 1	T 1	I 1	B 3

E 1	T 1	A 1	E 1	L 1	G 2	M 3

FOUR RACK TOTAL TIME LIMIT: 20 MINUTES

PAR SCORE 115–125
BY JUDD

SOLUTION ON PAGE 173

Rack 1	Rack 2	Rack 3	Rack 4	TOTAL

SCRABBLE GRAMS

R₁ D₂ A₁ E₁ S₁ S₁ E₁ — Double Word Score

I₁ E₁ A₁ T₁ P₃ R₁ N₁ — Triple Word Score

Z₁₀ T₁ K₅ D₂ U₁ A₁ U₁ — Triple Score on 4th Letter

N₁ U₁ E₁ F₄ T₁ C₃ D₂

FOUR RACK TOTAL TIME LIMIT: 20 MINUTES

PAR SCORE 155–165
BY JUDD

SOLUTION ON PAGE 174

	Rack 1	Rack 2	Rack 3	Rack 4	TOTAL

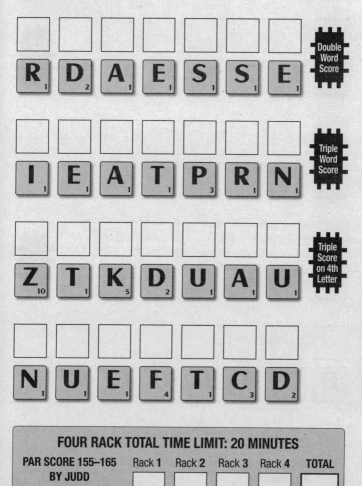

SCRABBLE® BRAND G₂R₁A₁M₃S₁

I₁ D₂ T₁ B₃ U₁ M₃ S₁

Double Word Score

T₁ T₁ T₁ C₃ N₁ O₁ O₁

O₁ S₁ C₃ E₁ H₄ L₁ T₁

Triple Score on 2nd Letter

H₄ T₁ E₁ R₁ O₁ O₁ Y₄

FOUR RACK TOTAL TIME LIMIT: 20 MINUTES

PAR SCORE 60–70 BY JUDD	Rack 1	Rack 2	Rack 3	Rack 4	TOTAL

SOLUTION ON PAGE 174

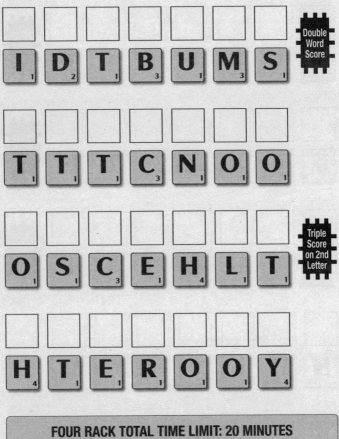

BOARD 113

SCRABBLE® BRAND GRAMS

I₁ Y₄ R₁ V₄ I₁ T₁ P₃

Double Score on 4th Letter

U₁ L₁ M₃ A₁ H₄ L₁ N₁

Double Word Score

S₁ N₁ S₁ Q₁₀ U₁ T₁ I₁

B₃ H₄ L₁ Y₄ U₁ U₁ M₃

FOUR RACK TOTAL TIME LIMIT: 20 MINUTES

PAR SCORE 110–120
BY JUDD

SOLUTION ON PAGE 174

Rack 1	Rack 2	Rack 3	Rack 4	TOTAL

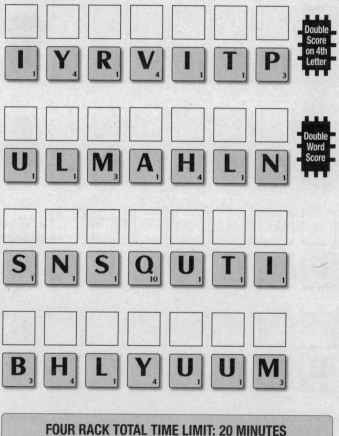

BOARD 114

SCRABBLE® BRAND GRAMS

S₁ F₄ E₁ R₁ Y₄ O₁ O₁ — Double Word Score

A₁ A₁ R₁ M₃ H₄ G₂ T₁ — Double Word Score

F₄ R₁ E₁ I₁ I₁ I₁ D₂

E₁ G₂ H₄ A₁ A₁ C₃ R₁ — Triple Word Score

FOUR RACK TOTAL TIME LIMIT: 20 MINUTES

PAR SCORE 55–65
BY JUDD

SOLUTION ON PAGE 174

Rack 1	Rack 2	Rack 3	Rack 4	TOTAL

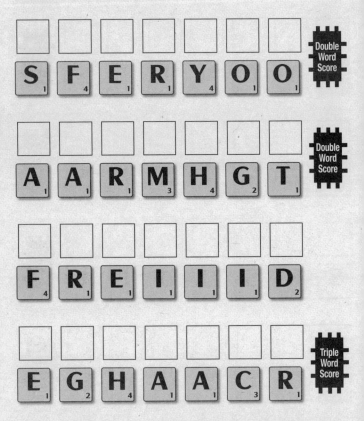

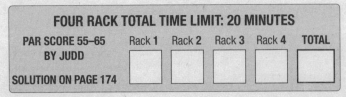

BOARD
115

SCRABBLE® BRAND GRAMS

N S U H I F S — Triple Score on 4th Letter

L O S N W S E

R E U H R T F — Triple Word Score

I S A S D E E — Triple Word Score

FOUR RACK TOTAL TIME LIMIT: 20 MINUTES

PAR SCORE 185–195
BY JUDD

SOLUTION ON PAGE 174

Rack 1	Rack 2	Rack 3	Rack 4	TOTAL

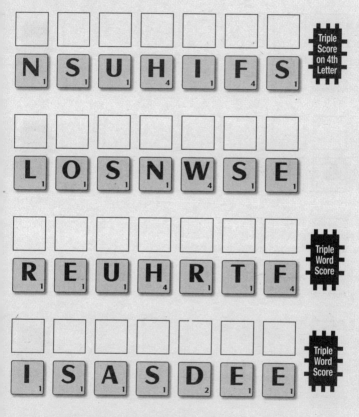

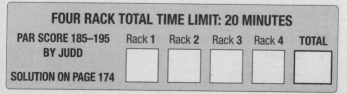

BOARD 116

SCRABBLE® BRAND GRAMS

L E U F X Q R — Double Word Score

L	E	U	F	X	Q	R
1	1	1	4	8	10	1

G I L N V I I — Triple Score on 3rd Letter

G	I	L	N	V	I	I
2	1	1	1	4	1	1

A O T U Y S L

A	O	T	U	Y	S	L
1	1	1	1	4	1	1

L L I A I I F — Triple Word Score

L	L	I	A	I	I	F
1	1	1	1	1	1	4

FOUR RACK TOTAL TIME LIMIT: 20 MINUTES

PAR SCORE 85–95
BY JUDD

SOLUTION ON PAGE 174

Rack 1	Rack 2	Rack 3	Rack 4	TOTAL

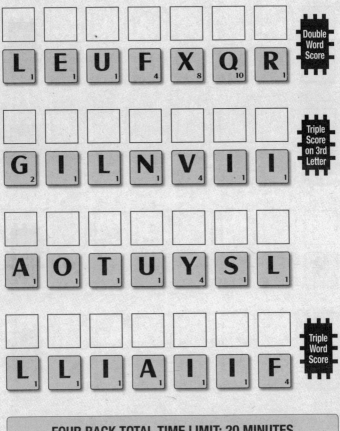

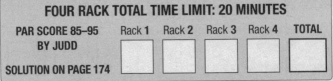

BOARD 117

SCRABBLE® BRAND GRAMS

R 1	W 4	N 1	E 1	I 1	E 1	R 1	Double Word Score
I 1	I 1	I 1	S 1	R 1	C 3	S 1	Double Word Score
N 1	T 1	C 3	S 1	A 1	A 1	N 1	Double Score on 2nd Letter
T 1	O 1	I 1	E 1	R 1	P 3	N 1	

FOUR RACK TOTAL TIME LIMIT: 20 MINUTES

PAR SCORE 60–70
BY JUDD

SOLUTION ON PAGE 174

Rack 1	Rack 2	Rack 3	Rack 4	TOTAL

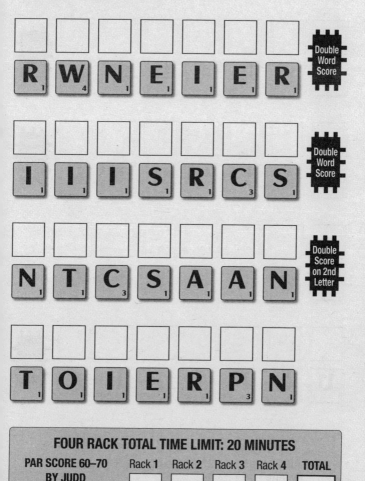

BOARD 118

SCRABBLE® BRAND GRAMS

L E I I B K R — Double Score on 1st Letter

A S L H H Y R — Triple Score on 1st Letter

A A C N S S V

U U P S L P A — Triple Word Score

FOUR RACK TOTAL TIME LIMIT: 20 MINUTES

PAR SCORE 145–155 BY JUDD	Rack 1	Rack 2	Rack 3	Rack 4	TOTAL
SOLUTION ON PAGE 174					

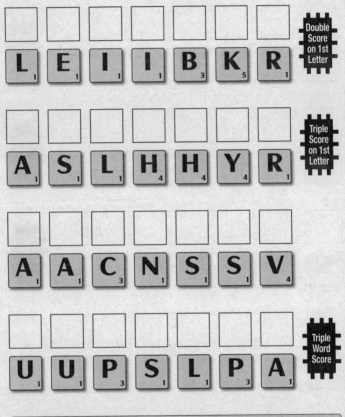

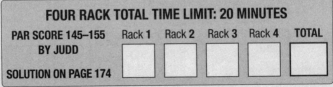

BOARD 119

SCRABBLE® BRAND GRAMS

E₁ A₁ N₁ S₁ N₁ S₁ O₁

L₁ E₁ I₁ C₃ L₁ T₁ D₂

Double Word Score

S₁ E₁ I₁ F₄ S₁ T₁ O₁

Triple Score on 3rd Letter

H₄ D₂ S₁ D₂ R₁ E₁ E₁

FOUR RACK TOTAL TIME LIMIT: 20 MINUTES

PAR SCORE 95–105

BY JUDD

SOLUTION ON PAGE 174

Rack 1	Rack 2	Rack 3	Rack 4	TOTAL

BOARD 120

SCRABBLE® BRAND GRAMS

E₁ E₁ E₁ R₁ L₁ C₃ F₄ — Double Score on 1st Letter

E₁ O₁ R₁ O₁ S₁ O₁ D₂ — Triple Word Score

E₁ I₁ R₁ G₂ N₁ Y₄ L₁

U₁ A₁ T₁ D₂ X₈ E₁ E₁

FOUR RACK TOTAL TIME LIMIT: 20 MINUTES

PAR SCORE 135–145 BY JUDD	Rack 1	Rack 2	Rack 3	Rack 4	TOTAL

SOLUTION ON PAGE 174

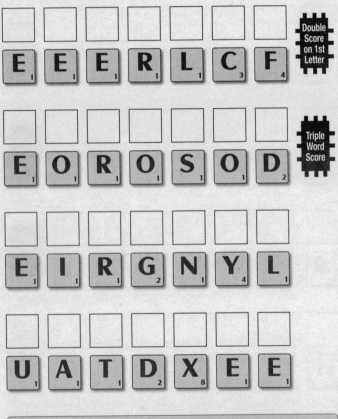

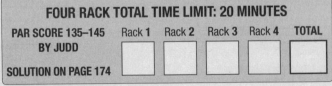

BOARD 121

SCRABBLE BRAND GRAMS

E1 G2 D2 G2 U1 I1 H4 — Triple Score on 3rd Letter

I1 R1 E1 A1 R1 L1 I1 — Double Word Score

A1 I1 L1 V4 N1 E1 I1 — Double Word Score

S1 S1 R1 E1 E1 U1 B3 — Triple Word Score

FOUR RACK TOTAL TIME LIMIT: 20 MINUTES

PAR SCORE 75–85
BY JUDD

SOLUTION ON PAGE 175

Rack 1	Rack 2	Rack 3	Rack 4	TOTAL

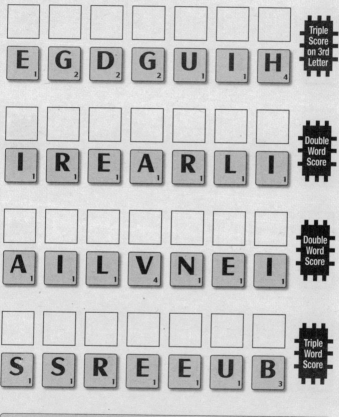

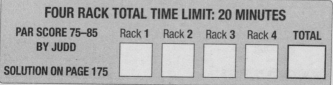

SCRABBLE® GRAMS

T₁	O₁	S₁	I₁	A₁	N₁	G₂

							Double Score on 3rd Letter
L₁	M₃	R₁	P₃	E₁	A₁	Y₄	

							Double Word Score
A₁	M₃	N₁	E₁	T₁	I₁	L₁	

U₁	A₁	T₁	C₃	N₁	M₃	S₁

FOUR RACK TOTAL TIME LIMIT: 20 MINUTES

	Rack 1	Rack 2	Rack 3	Rack 4	TOTAL
PAR SCORE 160–170 BY JUDD					

SOLUTION ON PAGE 175

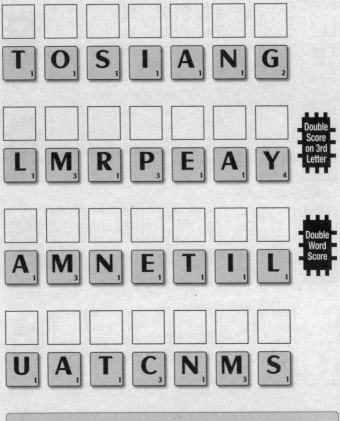

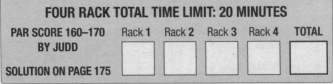

SCRABBLE® *BRAND* G₂ R₁ A₁ M₃ S₁

R₁ H₄ E₁ I₁ V₄ I₁ T₁

Triple Score on 5th Letter

E₁ O₁ L₁ T₁ S₁ U₁ U₁

Double Word Score

E₁ E₁ S₁ Y₄ K₅ L₁ L₁

I₁ Y₄ L₁ L₁ S₁ L₁ I₁

FOUR RACK TOTAL TIME LIMIT: 20 MINUTES

PAR SCORE 130–140
BY JUDD

SOLUTION ON PAGE 175

Rack 1	Rack 2	Rack 3	Rack 4	TOTAL

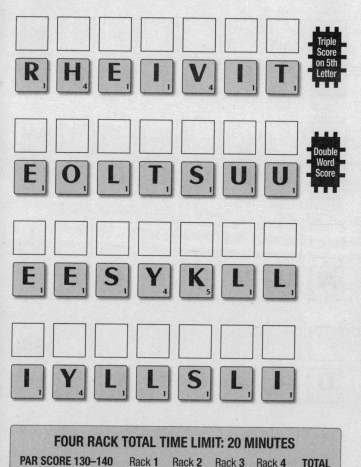

BOARD 124

SCRABBLE GRAMS

N E E G A T R — Double Word Score

N S M O O E T

M P R U E E T

G N A E U A G — Triple Word Score

FOUR RACK TOTAL TIME LIMIT: 20 MINUTES

PAR SCORE 130–140
BY JUDD

Rack 1	Rack 2	Rack 3	Rack 4	TOTAL

SOLUTION ON PAGE 175

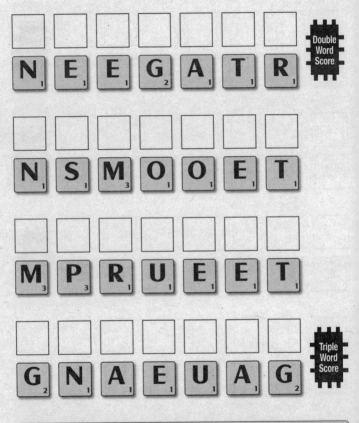

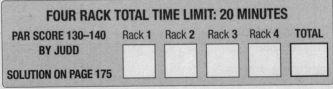

BOARD
125

SCRABBLE® BRAND GRAMS

N E O R Z O E — Triple Score on 3rd Letter

U A E L C V E

S I H D D R E — Double Word Score

R E I E T T M

FOUR RACK TOTAL TIME LIMIT: 20 MINUTES

PAR SCORE 110–120
BY JUDD

Rack 1	Rack 2	Rack 3	Rack 4	TOTAL

SOLUTION ON PAGE 175

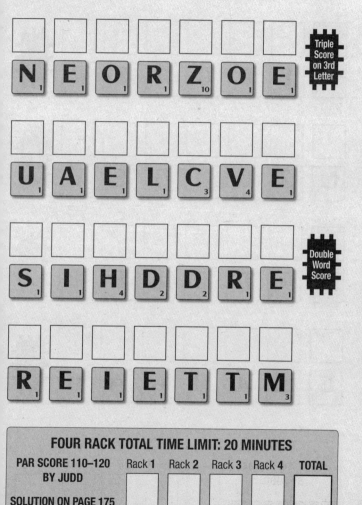

BOARD
126

SCRABBLE® BRAND GRAMS

N T A R H E E

Double Score on 1st Letter

O O O N G E L

Triple Word Score

N A E R I R R

Double Word Score

Y R R R A A M

Triple Score on 1st Letter

FOUR RACK TOTAL TIME LIMIT: 20 MINUTES

PAR SCORE 65–75 BY JUDD	Rack 1	Rack 2	Rack 3	Rack 4	TOTAL

SOLUTION ON PAGE 175

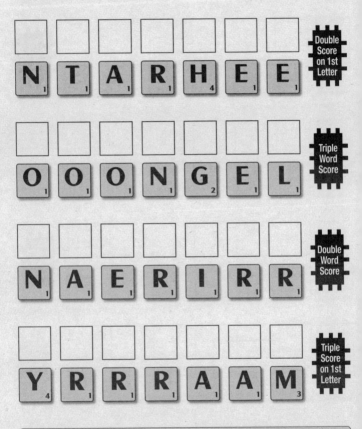

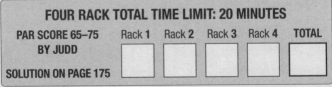

BOARD 127

SCRABBLE® BRAND GRAMS

P₃ S₁ F₄ E₁ O₁ R₁ S₁ — Triple Score on 4th Letter

N₁ O₁ A₁ A₁ O₁ I₁ X₈

U₁ E₁ T₁ L₁ B₃ R₁ I₁

M₃ R₁ N₁ U₁ O₁ R₁ N₁ — Triple Word Score

FOUR RACK TOTAL TIME LIMIT: 20 MINUTES

PAR SCORE 100–110
BY JUDD

Rack 1	Rack 2	Rack 3	Rack 4	TOTAL

SOLUTION ON PAGE 175

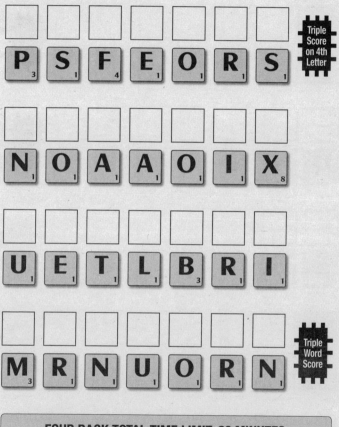

BOARD 128 SCRABBLE® BRAND GRAMS

S T T A O I W — Double Word Score

D N A I V I L — Triple Score on 3rd Letter

E E A A A T R

A A L M G F N

FOUR RACK TOTAL TIME LIMIT: 20 MINUTES

PAR SCORE 95–105 BY JUDD	Rack 1	Rack 2	Rack 3	Rack 4	TOTAL

SOLUTION ON PAGE 175

BOARD 129

SCRABBLE® BRAND GRAMS

B₃ E₁ N₁ T₁ S₁ U₁ L₁ — Triple Word Score

A₁ O₁ R₁ S₁ T₁ N₁ E₁

T₁ B₃ N₁ L₁ T₁ E₁ K₅ — Double Score on 1st Letter

L₁ I₁ S₁ B₃ U₁ E₁ A₁ — Double Word Score

FOUR RACK TOTAL TIME LIMIT: 20 MINUTES

PAR SCORE 100–110 BY JUDD	Rack 1	Rack 2	Rack 3	Rack 4	TOTAL

SOLUTION ON PAGE 175

BOARD 130

SCRABBLE GRAMS

S R D E G Y E

T E I L S Y T

Triple Score on 2nd Letter

R D E U H D S

Double Word Score

M S I A N I T

FOUR RACK TOTAL TIME LIMIT: 20 MINUTES

PAR SCORE 130–140 BY JUDD	Rack 1	Rack 2	Rack 3	Rack 4	TOTAL

SOLUTION ON PAGE 175

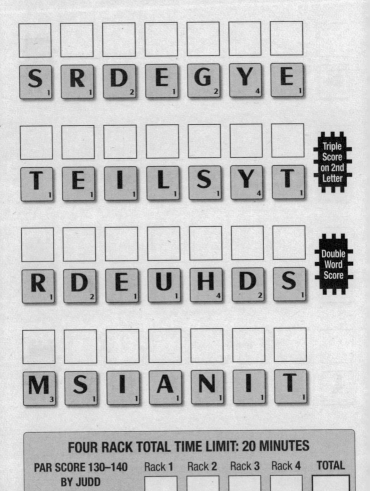

BOARD 131

SCRABBLE® BRAND GRAMS

S D A I K P N — Double Score on 1st Letter

O O O M N N S

E F I D T R P

A L T E T S Y — Triple Word Score

FOUR RACK TOTAL TIME LIMIT: 20 MINUTES

PAR SCORE 135–145 BY JUDD	Rack 1	Rack 2	Rack 3	Rack 4	TOTAL

SOLUTION ON PAGE 176

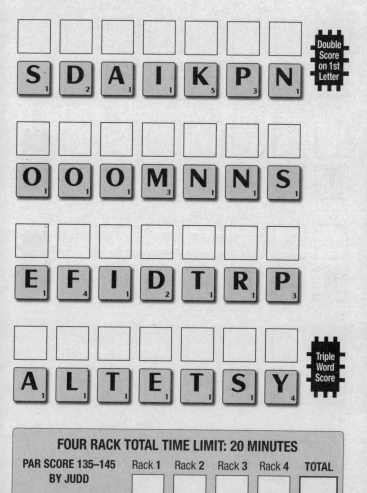

BOARD 132

SCRABBLE® BRAND GRAMS

E A T T N R E

Y I A L B W L

Triple Score on 3rd Letter

A E S L E A R

Double Word Score

U D N H I H A

FOUR RACK TOTAL TIME LIMIT: 20 MINUTES

PAR SCORE 95–105
BY JUDD

SOLUTION ON PAGE 176

Rack 1	Rack 2	Rack 3	Rack 4	TOTAL

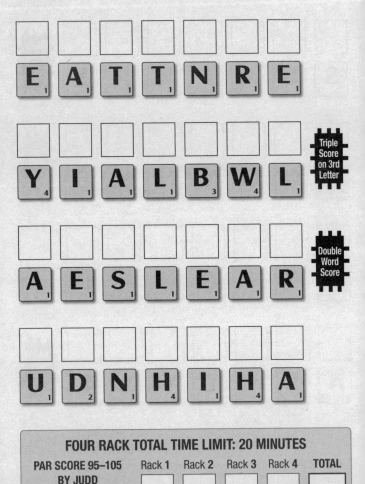

SCRABBLE® GRAMS

R₁	E₁	N₁	P₃	T₁	A₁	L₁

Double Score on 1st Letter

T₁	L₁	U₁	I₁	Y₄	S₁	G₂

Triple Word Score

T₁	N₁	N₁	O₁	E₁	T₁	D₂

H₄	I₁	A₁	T₁	M₃	A₁	E₁

FOUR RACK TOTAL TIME LIMIT: 20 MINUTES

PAR SCORE 100–110 BY JUDD	Rack 1	Rack 2	Rack 3	Rack 4	TOTAL
SOLUTION ON PAGE 176					

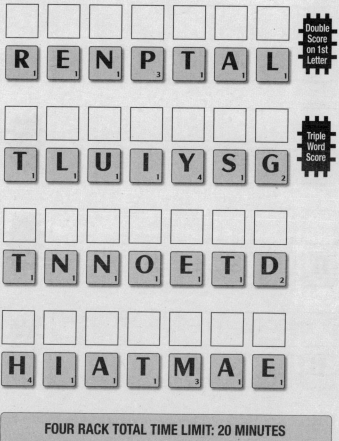

SCRABBLE GRAMS

P₃ L₁ W₄ R₁ E₁ S₁ E₁

L₁ E₁ O₁ H₄ R₁ P₃ C₃

Double Score on 4th Letter

R₁ I₁ A₁ E₁ F₄ S₁ K₅

Double Word Score

I₁ G₂ G₂ A₁ N₁ H₄ N₁

Triple Word Score

FOUR RACK TOTAL TIME LIMIT: 20 MINUTES

PAR SCORE 85–95 BY JUDD	Rack 1	Rack 2	Rack 3	Rack 4	TOTAL

SOLUTION ON PAGE 176

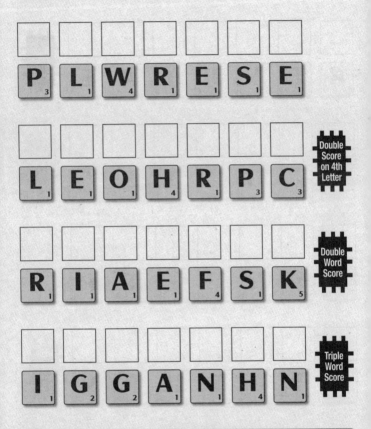

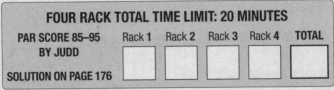

BOARD 135

SCRABBLE® BRAND GRAMS

A 1	E 1	L 1	N 1	Y 4	R 1	B 3	Triple Word Score
O 1	O 1	O 1	P 3	T 1	T 1	A 1	
E 1	I 1	C 3	E 1	Z 10	T 1	P 3	
L 1	O 1	E 1	R 1	D 2	P 3	N 1	Triple Score on 1st Letter

FOUR RACK TOTAL TIME LIMIT: 20 MINUTES

PAR SCORE 110–120
BY JUDD

SOLUTION ON PAGE 176

Rack 1	Rack 2	Rack 3	Rack 4	TOTAL

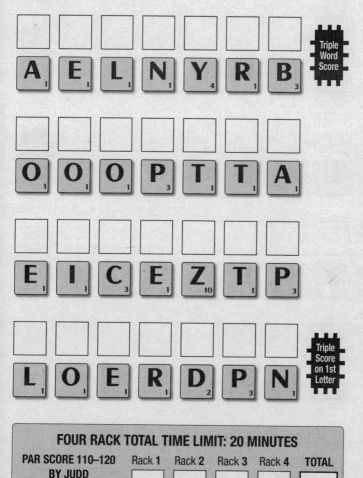

BOARD 136

SCRABBLE® BRAND GRAMS

R1 O1 E1 T1 F4 D2 S1

Triple Score on 3rd Letter

H4 I1 B3 G2 T1 R1 I1

Double Word Score

K5 L1 F4 W4 E1 U1 A1

E1 N1 R1 Y4 G2 U1 O1

FOUR RACK TOTAL TIME LIMIT: 20 MINUTES

PAR SCORE 140–150 BY JUDD	Rack 1	Rack 2	Rack 3	Rack 4	TOTAL

SOLUTION ON PAGE 176

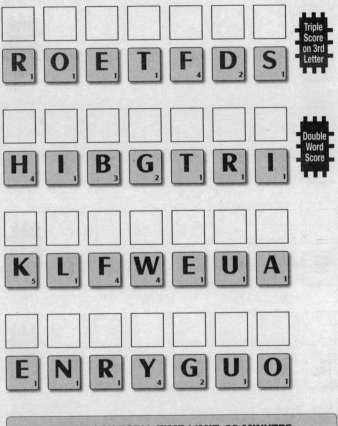

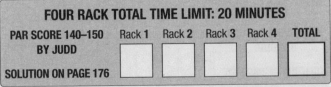

BOARD 137

SCRABBLE® BRAND GRAMS

N F O R G L U — Double Score on 1st Letter

I R E E N A V

P N I U S R T — Triple Word Score

N T O E R A B

FOUR RACK TOTAL TIME LIMIT: 20 MINUTES

PAR SCORE 130–140 BY JUDD	Rack 1	Rack 2	Rack 3	Rack 4	TOTAL

SOLUTION ON PAGE 176

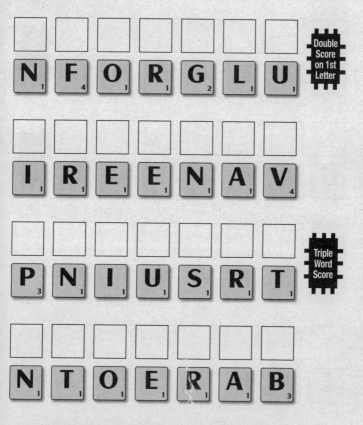

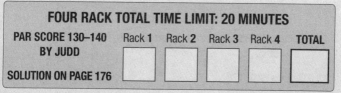

BOARD 138

SCRABBLE® BRAND GRAMS

O I T M E N N — Triple Score on 2nd Letter

U A L Y E B E — Double Word Score

P U E U N T D

L E N I N T U — Double Word Score

FOUR RACK TOTAL TIME LIMIT: 20 MINUTES

PAR SCORE 60–70 BY JUDD	Rack 1	Rack 2	Rack 3	Rack 4	TOTAL

SOLUTION ON PAGE 176

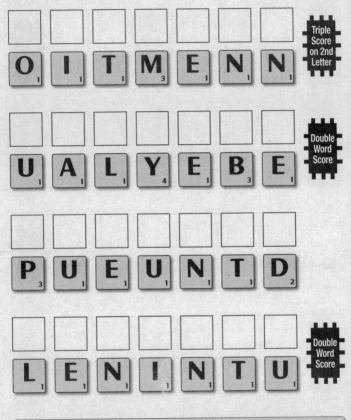

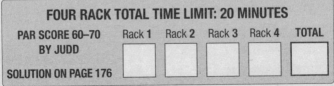

BOARD 139

SCRABBLE® BRAND GRAMS

T1 I1 K5 R1 F4 A1 U1 — Triple Word Score

O1 B3 H4 N1 R1 S1 U1 — Triple Score on 2nd Letter

R1 L1 F4 I1 A1 F4 M3

R1 I1 U1 X8 T1 F4 E1 — Triple Word Score

FOUR RACK TOTAL TIME LIMIT: 20 MINUTES

PAR SCORE 105–115 BY JUDD	Rack 1	Rack 2	Rack 3	Rack 4	TOTAL

SOLUTION ON PAGE 176

BOARD 140

SCRABBLE GRAMS

D₂ A₁ K₅ R₁ Y₄ L₁ I₁ — Triple Word Score

E₁ L₁ G₂ B₃ S₁ O₁ I₁ — Double Word Score

T₁ Y₄ E₁ E₁ D₂ M₃ R₁

E₁ R₁ G₂ N₁ T₁ A₁ E₁ — Triple Score on 1st Letter

FOUR RACK TOTAL TIME LIMIT: 20 MINUTES

PAR SCORE 115–125
BY JUDD

SOLUTION ON PAGE 176

Rack 1	Rack 2	Rack 3	Rack 4	TOTAL

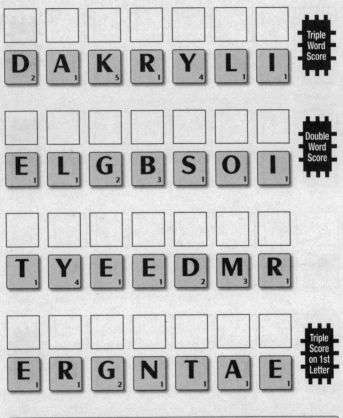

BOARD 141

SCRABBLE® BRAND GRAMS

X 8	K 5	W 4	I 1	Y 4	L 1	B 3	Triple Word Score
E 1	B 3	G 2	L 1	W 4	G 2	D 2	Triple Score on 4th Letter
W 4	Y 4	N 1	L 1	I 1	G 2	A 1	
T 1	A 1	U 1	I 1	R 1	B 3	L 1	Double Word Score

FOUR RACK TOTAL TIME LIMIT: 20 MINUTES

PAR SCORE 95–105
BY JUDD

SOLUTION ON PAGE 177

Rack 1	Rack 2	Rack 3	Rack 4	TOTAL

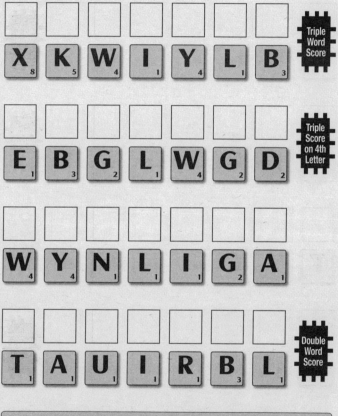

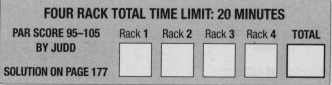

BOARD 142

SCRABBLE GRAMS

L₁	O₁	G₂	O₁	C₃	T₁	R₁

Triple Score on 3rd Letter

M₃	L₁	R₁	B₃	T₁	E₁	Y₄

Y₄	M₃	O₁	E₁	N₁	N₁	A₁

Double Score on 4th Letter

H₄	H₄	E₁	C₃	A₁	E₁	T₁

Triple Word Score

FOUR RACK TOTAL TIME LIMIT: 20 MINUTES

PAR SCORE 115–125
BY JUDD

SOLUTION ON PAGE 177

Rack 1	Rack 2	Rack 3	Rack 4	TOTAL

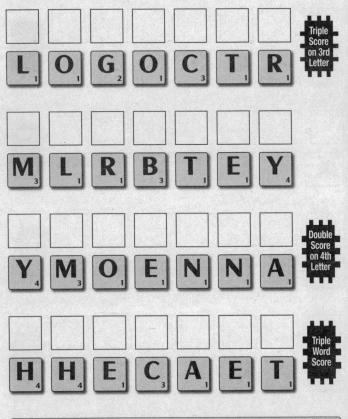

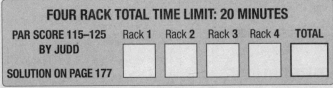

BOARD 143 SCRABBLE® BRAND GRAMS

G	E	A	U	H	D	L
2	1	1	1	4	2	1

Triple Score on 5th Letter

N	E	S	J	N	T	S
1	1	1	8	1	1	1

Double Score on 1st Letter

E	E	D	M	I	S	O
1	1	2	3	1	1	1

Triple Word Score

F	R	R	I	T	L	E
4	1	1	1	1	1	1

FOUR RACK TOTAL TIME LIMIT: 20 MINUTES

PAR SCORE 110–120
BY JUDD

SOLUTION ON PAGE 177

Rack 1	Rack 2	Rack 3	Rack 4	TOTAL

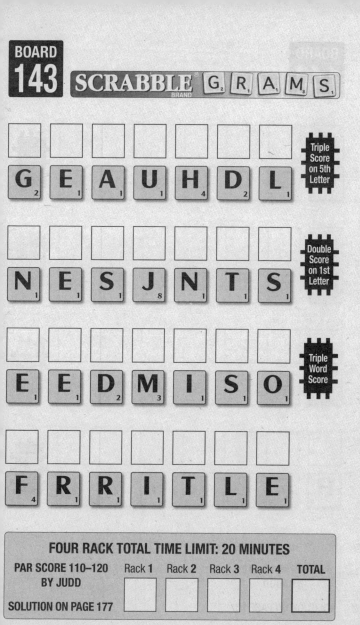

BOARD
144

SCRABBLE® BRAND GRAMS

O₁ T₁ D₂ U₁ N₁ H₄ A₁ — Triple Word Score

E₁ A₁ E₁ M₃ C₃ R₁ B₃ — Double Word Score

A₁ A₁ T₁ A₁ L₁ S₁ R₁

P₃ I₁ O₁ A₁ S₁ T₁ L₁ — Triple Word Score

FOUR RACK TOTAL TIME LIMIT: 20 MINUTES

PAR SCORE 150–160 BY JUDD	Rack 1	Rack 2	Rack 3	Rack 4	TOTAL

SOLUTION ON PAGE 177

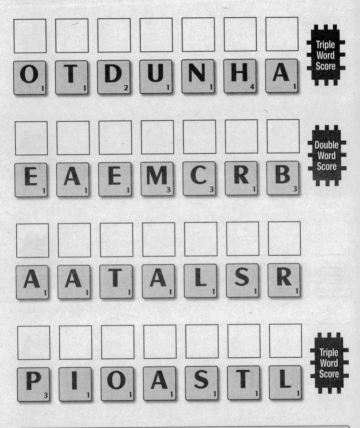

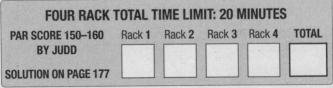

BOARD 145

SCRABBLE BRAND GRAMS

T₁	A₁	I₁	E₁	N₁	T₁	N₁

							Double Word Score
T₁	E₁	O₁	I₁	E₁	D₂	D₂	

							Double Score on 2nd Letter
E₁	P₃	C₃	A₁	R₁	L₁	I₁	

							Triple Score on 1st Letter
N₁	I₁	I₁	C₃	A₁	U₁	V₄	

FOUR RACK TOTAL TIME LIMIT: 20 MINUTES

PAR SCORE 60–70 BY JUDD

	Rack 1	Rack 2	Rack 3	Rack 4	TOTAL

SOLUTION ON PAGE 177

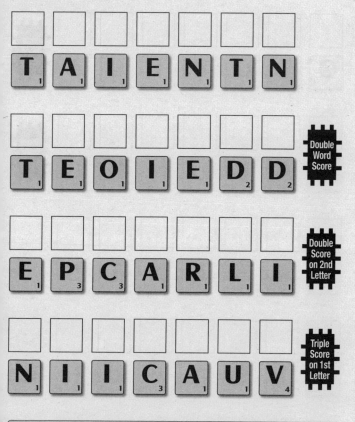

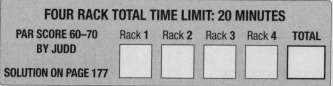

BOARD 146

SCRABBLE® BRAND GRAMS

Z 10 | O 1 | D 2 | E 1 | I 1 | L 1 | I 1 — Triple Word Score

A 1 | A 1 | B 3 | D 2 | N 1 | H 4 | G 2 — Triple Word Score

E 1 | R 1 | A 1 | E 1 | N 1 | T 1 | S 1

C 3 | I 1 | R 1 | N 1 | E 1 | D 2 | H 4

FOUR RACK TOTAL TIME LIMIT: 20 MINUTES

PAR SCORE 165–175 BY JUDD	Rack 1	Rack 2	Rack 3	Rack 4	TOTAL

SOLUTION ON PAGE 177

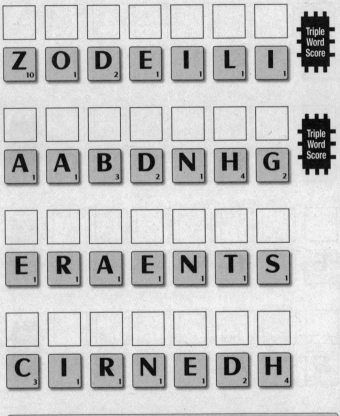

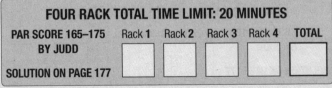

BOARD 147

SCRABBLE® BRAND GRAMS

E	T	B	F	I	E	N
1	1	3	4	1	1	1

V	R	E	D	U	I	O
4	1	1	2	1	1	1

Double Word Score

E	A	E	O	B	R	F
1	1	1	1	3	1	4

E	S	A	M	T	J	R
1	1	1	3	1	8	1

Triple Score on 4th Letter

FOUR RACK TOTAL TIME LIMIT: 20 MINUTES

PAR SCORE 110–120
BY JUDD

Rack 1	Rack 2	Rack 3	Rack 4	TOTAL

SOLUTION ON PAGE 177

BOARD 148

SCRABBLE® BRAND GRAMS

U 1	H 4	C 3	R 1	I 1	O 1	I 1

Triple Score on 2nd Letter

N 1	I 1	I 1	T 1	O 1	V 4	S 1

Triple Word Score

N 1	M 3	U 1	O 1	S 1	S 1	M 3

F 4	E 1	H 4	S 1	L 1	I 1	S 1

Triple Score on 4th Letter

FOUR RACK TOTAL TIME LIMIT: 20 MINUTES

PAR SCORE 110–120 BY JUDD	Rack 1	Rack 2	Rack 3	Rack 4	TOTAL
SOLUTION ON PAGE 177					

BOARD 149

SCRABBLE® BRAND GRAMS

Y[4] L[1] T[1] I[1] L[1] D[2] W[4] — Double Score on 1st Letter

P[3] E[1] O[1] S[1] S[1] L[1] T[1] — Triple Word Score

X[8] O[1] N[1] A[1] T[1] I[1] D[2]

C[3] A[1] L[1] Y[4] L[1] F[4] A[1] — Double Word Score

FOUR RACK TOTAL TIME LIMIT: 20 MINUTES

PAR SCORE 150–160 BY JUDD	Rack 1	Rack 2	Rack 3	Rack 4	TOTAL

SOLUTION ON PAGE 177

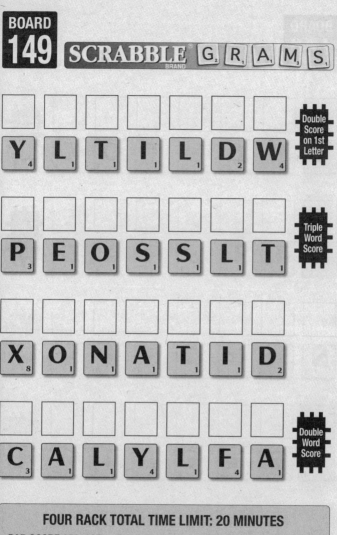

BOARD 150

SCRABBLE® BRAND GRAMS

R 1	E 1	E 1	N 1	T 1	O 1	C 3

B 3	T 1	T 1	O 1	O 1	A 1	O 1

Triple Score on 3rd Letter

S 1	E 1	R 1	A 1	O 1	T 1	P 3

Triple Word Score

U 1	R 1	I 1	C 3	O 1	I 1	O 1

FOUR RACK TOTAL TIME LIMIT: 20 MINUTES

PAR SCORE 65–75
BY JUDD

SOLUTION ON PAGE 177

Rack 1	Rack 2	Rack 3	Rack 4	TOTAL

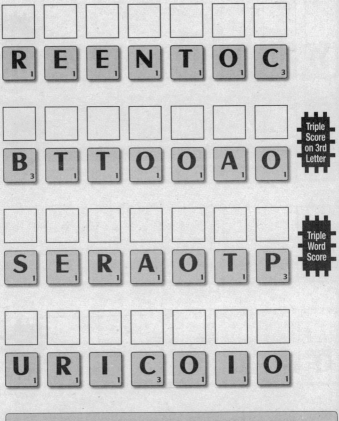

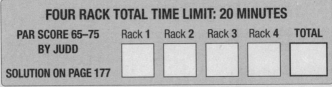

BOARD 151

SCRABBLE® BRAND GRAMS

I₁ L₁ S₁ O₁ U₁ G₂ B₃ — Double Word Score

U₁ A₁ A₁ T₁ C₃ D₂ B₃

N₁ A₁ T₁ R₁ E₁ K₅ B₃

F₄ A₁ L₁ B₃ F₄ I₁ I₁ — Double Score on 1st Letter

FOUR RACK TOTAL TIME LIMIT: 20 MINUTES

PAR SCORE 65–75
BY JUDD

Rack 1	Rack 2	Rack 3	Rack 4	TOTAL

SOLUTION ON PAGE 178

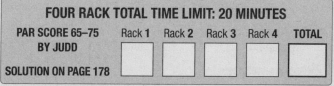

BOARD 152

SCRABBLE® BRAND GRAMS

X8 E1 U1 U1 R1 A1 B3 — Double Word Score

D2 S1 A1 E1 N1 M3 S1 — Triple Score on 3rd Letter

D2 I1 T1 T1 C3 E1 P3

J8 H4 H4 Y4 P3 S1 X8 — Double Word Score

FOUR RACK TOTAL TIME LIMIT: 20 MINUTES

PAR SCORE 120–130 BY JUDD	Rack 1	Rack 2	Rack 3	Rack 4	TOTAL
SOLUTION ON PAGE 178					

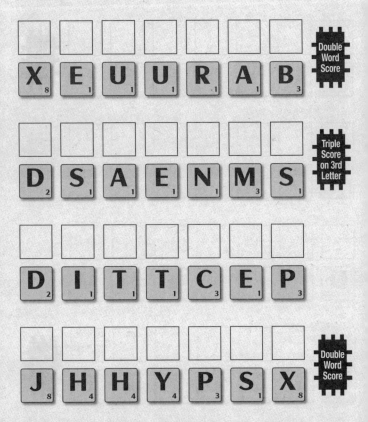

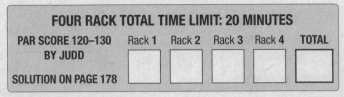

BOARD 153

SCRABBLE® BRAND GRAMS

L₁ H₄ Y₄ N₁ P₃ E₁ O₁ — Triple Word Score

O₁ O₁ O₁ B₃ X₈ L₁ T₁ — Triple Score on 4th Letter

D₂ I₁ O₁ O₁ T₁ N₁ M₃

H₄ L₁ T₁ U₁ F₄ A₁ E₁ — Triple Word Score

FOUR RACK TOTAL TIME LIMIT: 20 MINUTES

PAR SCORE 130–140 BY JUDD	Rack 1	Rack 2	Rack 3	Rack 4	TOTAL

SOLUTION ON PAGE 178

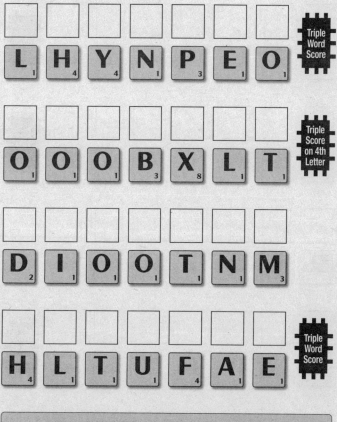

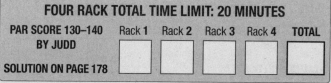

BOARD 154

SCRABBLE® BRAND GRAMS

L₁ I₁ U₁ A₁ F₄ L₁ W₄

Triple Score on 5th Letter

V₄ Y₄ N₁ L₁ E₁ L₁ A₁

Triple Word Score

R₁ N₁ W₄ E₁ A₁ F₄ L₁

S₁ R₁ I₁ H₄ Y₄ U₁ B₃

Double Word Score

FOUR RACK TOTAL TIME LIMIT: 20 MINUTES

PAR SCORE 125–135 BY JUDD	Rack 1	Rack 2	Rack 3	Rack 4	TOTAL

SOLUTION ON PAGE 178

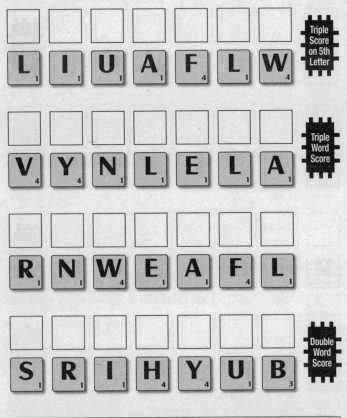

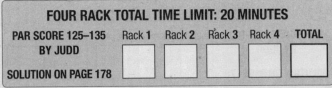

BOARD
155

SCRABBLE® BRAND GRAMS

O S L D N B E — Double Word Score

S R E E I R F

R G E S R E U — Double Word Score

S S H W O O I

FOUR RACK TOTAL TIME LIMIT: 20 MINUTES

PAR SCORE 130–140
BY JUDD

SOLUTION ON PAGE 178

Rack 1	Rack 2	Rack 3	Rack 4	TOTAL

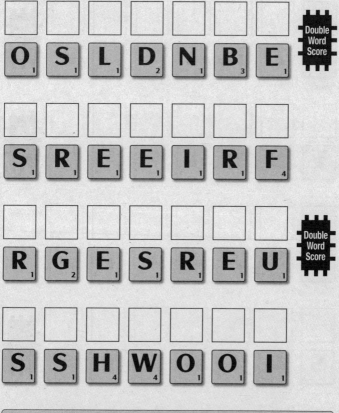

BOARD 156

SCRABBLE® BRAND GRAMS

Y[4] L[1] R[1] T[1] U[1] U[1] R[1]

Triple Score on 5th Letter

T[1] N[1] E[1] I[1] R[1] A[1] M[3]

Triple Word Score

U[1] U[1] E[1] G[2] Y[4] L[1] D[2]

N[1] A[1] I[1] U[1] P[3] T[1] A[1]

Triple Score on 4th Letter

FOUR RACK TOTAL TIME LIMIT: 20 MINUTES

PAR SCORE 70–80 BY JUDD	Rack 1	Rack 2	Rack 3	Rack 4	TOTAL

SOLUTION ON PAGE 178

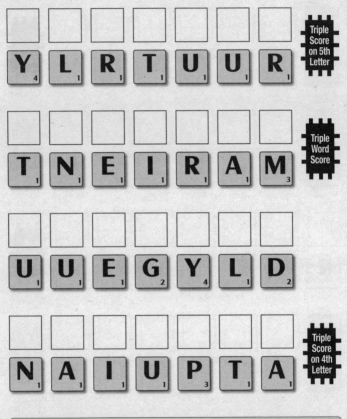

BOARD 157

SCRABBLE® BRAND GRAMS

H[4] T[1] T[1] I[1] R[1] R[1] M[3] — Double Score on 5th Letter

I[1] T[1] C[3] A[1] A[1] L[1] R[1] — Double Word Score

I[1] E[1] K[5] M[3] S[1] O[1] R[1]

E[1] E[1] E[1] S[1] H[4] T[1] S[1] — Triple Score on 5th Letter

FOUR RACK TOTAL TIME LIMIT: 20 MINUTES

PAR SCORE 100–110
BY JUDD

Rack 1	Rack 2	Rack 3	Rack 4	TOTAL

SOLUTION ON PAGE 178

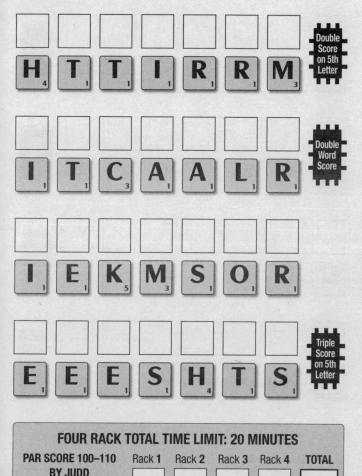

BOARD 158

SCRABBLE® BRAND GRAMS

E₁ E₁ T₁ T₁ S₁ R₁ U₁ — Double Word Score

M₃ A₁ A₁ O₁ N₁ R₁ S₁ — Triple Score on 4th Letter

S₁ I₁ E₁ E₁ A₁ S₁ D₂ — Double Word Score

R₁ N₁ H₄ G₂ N₁ Y₄ U₁

FOUR RACK TOTAL TIME LIMIT: 20 MINUTES

PAR SCORE 130–140 BY JUDD	Rack 1	Rack 2	Rack 3	Rack 4	TOTAL
SOLUTION ON PAGE 178					

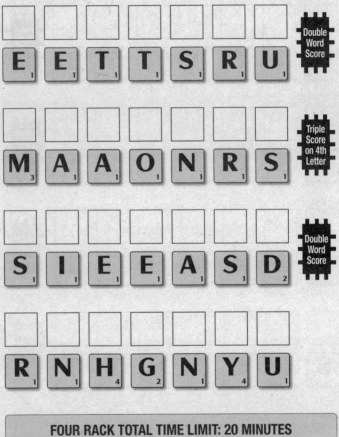

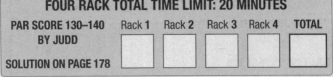

BOARD 159

SCRABBLE® BRAND GRAMS

R[1] R[1] C[3] T[1] A[1] T[1] T[1]

Triple Score on 4th Letter

T[1] E[1] B[3] X[8] D[2] I[1] L[1]

Double Score on 4th Letter

I[1] A[1] R[1] U[1] D[2] A[1] T[1]

Double Word Score

S[1] R[1] I[1] A[1] N[1] T[1] T[1]

FOUR RACK TOTAL TIME LIMIT: 20 MINUTES

PAR SCORE 65–75
BY JUDD

SOLUTION ON PAGE 178

Rack 1	Rack 2	Rack 3	Rack 4	TOTAL

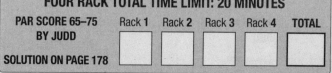

BOARD 160

SCRABBLE® BRAND GRAMS

W₄ G₂ O₁ R₁ T₁ H₄ T₁ — Triple Word Score

O₁ C₃ A₁ C₃ H₄ R₁ S₁ — Triple Score on 2nd Letter

R₁ R₁ P₃ A₁ N₁ B₃ N₁

S₁ T₁ S₁ I₁ L₁ E₁ W₄ — Double Word Score

FOUR RACK TOTAL TIME LIMIT: 20 MINUTES

PAR SCORE 85–95
BY JUDD

SOLUTION ON PAGE 178

Rack 1	Rack 2	Rack 3	Rack 4	TOTAL

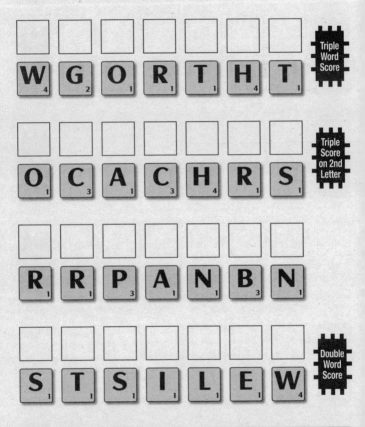

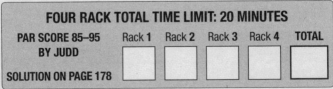

SOLUTIONS

BOARD 1

PERHAPS	92
BUYING	24
ETHANE	13
ALLEGE	7
JUDD'S TOTAL:	136

BOARD 2

ALERTLY	70
HURTLES	62
DISGUST	59
SPLEEN	14
JUDD'S TOTAL:	205

BOARD 3

DEMOS	14
VARNISH	63
NUMERAL	59
MASSAGE	80
JUDD'S TOTAL:	216

BOARD 4

DRUGS	14
PATTY	20
ESTUARY	61
RASHLY	12
JUDD'S TOTAL:	107

BOARD 5

CHINOS	33
FORLORN	60
MINUS	10
EXUDE	29
JUDD'S TOTAL:	132

BOARD 6

CONKER	36
VIBRATO	66
SKETCH	25
FLOODS	10
JUDD'S TOTAL:	137

BOARD 7

WEAPONS	62
LEMAN	21
SPONGIN	60
GUESTS	21
JUDD'S TOTAL:	164

BOARD 8

CHORAL	22
LISPER	8
ADMITS	27
DEVIL	9
JUDD'S TOTAL:	66

BOARD 9

MARKET	24
LATERAL	57
GOSLING	59
DONATOR	66
JUDD'S TOTAL:	206

BOARD 10

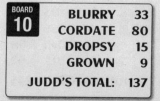

BLURRY	33
CORDATE	80
DROPSY	15
GROWN	9
JUDD'S TOTAL:	137

BOARD 11	
PAINTER	77
BROTH	30
LUCARNE	59
VIOLATE	60
JUDD'S TOTAL:	226

BOARD 12	
FRETTED	61
AVAILS	18
TROIKA	30
PRIMLY	13
JUDD'S TOTAL:	122

BOARD 13	
GUARDER	77
FLUTTER	60
MINX	39
EPOCHAL	70
JUDD'S TOTAL:	246

BOARD 14	
CONTACT	61
QUART	42
SOPRANO	68
OUTLETS	57
JUDD'S TOTAL:	228

BOARD 15	
RIOTOUS	57
AGELESS	58
MARTINI	68
GLOBULE	62
JUDD'S TOTAL:	245

BOARD 16	
WINCE	14
FREELY	36
ENTREAT	57
EVASION	60
JUDD'S TOTAL:	167

BOARD 17	
RESILED	58
COGGED	22
SKIMPY	27
CAMEL	9
JUDD'S TOTAL:	116

BOARD 18	
DELUDED	60
CONCURS	72
PATTERN	68
TENUITY	60
JUDD'S TOTAL:	260

BOARD 19	
COMELY	39
FOLLIES	60
WEDGED	12
TWIG	16
JUDD'S TOTAL:	127

BOARD 20	
NEUTERS	64
UMPTEEN	61
HERRING	61
IDIOTIC	70
JUDD'S TOTAL:	256

BOARD 21

DESPOT	15
EFFETE	24
SUBSIDY	63
MAPPERS	63
JUDD'S TOTAL:	165

BOARD 22

BLUNTLY	86
FOOLISH	67
CLOAKS	15
ALCOVE	11
JUDD'S TOTAL:	179

BOARD 23

WADI	12
FIRED	13
AWHILE	12
SOLVENT	70
JUDD'S TOTAL:	107

BOARD 24

DEALERS	58
EX	25
KNIGHTS	70
BLASTER	77
JUDD'S TOTAL:	230

BOARD 25

HAZARD	38
LECTERN	59
COSTUME	72
STALKS	10
JUDD'S TOTAL:	179

BOARD 26

FICTION	62
BLEMISH	67
MONARCH	78
VARSITY	63
JUDD'S TOTAL:	270

BOARD 27

HITCHED	74
CHOICES	78
EVENED	10
ACOLYTE	86
JUDD'S TOTAL:	248

BOARD 28

FINALES	80
WICK	18
CORNY	10
MANNISH	86
JUDD'S TOTAL:	194

BOARD 29

SYMBOLS	92
TOILED	21
QUEENLY	79
CARREL	8
JUDD'S TOTAL:	200

BOARD 30

CAPERS	10
PRIDED	20
NOXIOUS	78
NUMBING	62
JUDD'S TOTAL:	170

BOARD 31

SUFFIX	57
HATRACK	68
PARTLET	60
MIDDAY	26
JUDD'S TOTAL:	211

BOARD 32

CORRECT	61
CLAIMED	74
DIVERGE	66
ORALLY	9
JUDD'S TOTAL:	210

BOARD 33

CHARITY	66
CULTIST	68
UMPTEEN	83
LASAGNA	58
JUDD'S TOTAL:	275

BOARD 34

PROVOST	62
CAMERAL	83
CARNAL	11
HARVEST	76
JUDD'S TOTAL:	232

BOARD 35

AROUSAL	57
VERMES	22
AIRHOLE	80
ZIP	34
JUDD'S TOTAL:	193

BOARD 36

HIBACHI	67
CROTON	8
CHEERY	22
JOB	36
JUDD'S TOTAL:	133

BOARD 37

GESTATE	58
NOISY	16
CLINCH	39
WINNOW	12
JUDD'S TOTAL:	125

BOARD 38

PHYLON	42
ZONULE	15
ADAGES	16
PATRIOT	59
JUDD'S TOTAL:	132

BOARD 39

POPLIN	13
DRAIL	18
BATTENS	68
STERNLY	60
JUDD'S TOTAL:	159

BOARD 40

RADIANT	58
PITFALL	74
FATALLY	65
ZIG	23
JUDD'S TOTAL:	220

BOARD 41	
BICKER	19
PRIMERO	61
COEXIST	82
PAROLES	77
JUDD'S TOTAL:	239

BOARD 42	
LUNACY	14
GUSHY	24
RATHER	17
ALIGHT	10
JUDD'S TOTAL:	65

BOARD 43	
PRICY	12
EROTISM	59
FISHNET	71
ENLARGE	74
JUDD'S TOTAL:	216

BOARD 44	
FERTILE	60
PLOVER	19
BLOODY	15
TAUGHT	30
JUDD'S TOTAL:	124

BOARD 45	
OKAY	19
HEDGER	33
FUSIBLE	74
DARLING	59
JUDD'S TOTAL:	185

BOARD 46	
ONWARDS	65
NOMINEE	65
HAILERS	60
ALERTS	12
JUDD'S TOTAL:	202

BOARD 47	
ARMADA	27
BINATE	11
ANIMAL	8
TEXTUAL	80
JUDD'S TOTAL:	126

BOARD 48	
TORPOR	24
FORAGE	10
CINQUE	37
SPICILY	92
JUDD'S TOTAL:	163

BOARD 49	
INHIBIT	70
RETURNS	64
QUARTET	66
WETLY	15
JUDD'S TOTAL:	215

BOARD 50	
WHEELER	67
SOCKET	12
EARTHY	20
CLOUGH	24
JUDD'S TOTAL:	123

BOARD 51

IODIZE	36
VERTIGO	72
AUDIBLE	60
HYPES	39
JUDD'S TOTAL:	207

BOARD 52

SPINDLY	66
CHIDER	36
MONGOLS	60
BOTTOMS	83
JUDD'S TOTAL:	245

BOARD 53

DORMERS	62
GULLEY	30
EASTING	58
LARDON	14
JUDD'S TOTAL:	164

BOARD 54

ALLURE	6
STRONG	21
JAILORS	92
PONCHO	13
JUDD'S TOTAL:	132

BOARD 55

RUCKUS	18
EMBALM	24
UNCTION	59
ALTARS	12
JUDD'S TOTAL:	113

BOARD 56

LIQUATE	86
EXPUNGE	101
ROTATOR	57
FOXILY	27
JUDD'S TOTAL:	271

BOARD 57

ETHYL	19
JETTON	39
KETTLE	10
MIDWIFE	66
JUDD'S TOTAL:	134

BOARD 58

FASCISM	66
NAIVETE	60
UNNERVE	70
OSTRICH	86
JUDD'S TOTAL:	282

BOARD 59

LUGGAGE	62
NOTABLE	65
PANNIER	77
ORPHAN	33
JUDD'S TOTAL:	237

BOARD 60

TABLEAU	68
LANTERN	57
IDIOMS	18
GOODLY	11
JUDD'S TOTAL:	154

BOARD 61

THRAWN	12
FOISON	13
ABLAZE	17
PARAPH	19
JUDD'S TOTAL:	61

BOARD 62

INFUSED	72
APRONS	8
NOTIONS	64
OILSEED	74
JUDD'S TOTAL:	218

BOARD 63

TACTION	59
HAMLET	14
REALIST	57
QUASH	37
JUDD'S TOTAL:	167

BOARD 64

CLAIMED	74
INVOKE	39
TALKING	74
PISCINE	61
JUDD'S TOTAL:	248

BOARD 65

WINNERS	80
AMONGST	80
LOUNGER	74
SIMILAR	59
JUDD'S TOTAL:	293

BOARD 66

MIXER	22
PIQUET	37
NITRITE	57
COOLER	16
JUDD'S TOTAL:	132

BOARD 67

FRONTAL	60
THUMPS	39
COLOGNE	70
SUBSETS	59
JUDD'S TOTAL:	228

BOARD 68

OVERARM	66
ACETIFY	95
ETALON	6
AMMINE	10
JUDD'S TOTAL:	177

BOARD 69

OUZOS	42
POUTER	14
BEVIES	22
BORERS	8
JUDD'S TOTAL:	86

BOARD 70

QUICHE	40
SHELVED	64
FOCUSER	74
BATHED	12
JUDD'S TOTAL:	190

BOARD 71	
QUARKS	57
ROUX	11
SANITY	18
MILLING	60
JUDD'S TOTAL:	146

BOARD 72	
MONEYED	66
LYNCHER	95
PLUCKY	17
PERLITE	68
JUDD'S TOTAL:	246

BOARD 73	
GOLFING	70
ELATION	71
NEEDED	8
COMPOST	89
JUDD'S TOTAL:	238

BOARD 74	
MORDENT	63
STARTED	58
BARELY	22
ATTEMPT	64
JUDD'S TOTAL:	207

BOARD 75	
SEGMENT	70
THANK	12
SILIQUE	82
PARODIC	74
JUDD'S TOTAL:	238

BOARD 76	
CRESSET	59
LUMBERS	64
DECOYS	24
TROPHY	14
JUDD'S TOTAL:	161

BOARD 77	
SNOWCAP	78
SCIENCE	61
VACANCY	73
ECHELON	62
JUDD'S TOTAL:	274

BOARD 78	
DIETER	7
DICTATE	80
TARNISH	80
EELY	7
JUDD'S TOTAL:	174

BOARD 79	
PALTERS	59
PLATEAU	77
MYTHIC	48
SPLICER	61
JUDD'S TOTAL:	245

BOARD 80	
DANIO	6
ACUTER	16
HECTARE	68
MERCY	18
JUDD'S TOTAL:	108

BOARD 81	
INCIPIT	61
GUMSHOE	76
FRAILTY	67
RAPIER	14
JUDD'S TOTAL:	218

BOARD 82	
AMITY	10
VIVIFY	20
WALKOUT	74
HANSOM	15
JUDD'S TOTAL:	119

BOARD 83	
SULLEN	6
DESCEND	64
SHADOWS	72
STARCHY	80
JUDD'S TOTAL:	222

BOARD 84	
PRONTO	16
HIRER	8
HALIBUT	74
ALCOVE	11
JUDD'S TOTAL:	109

BOARD 85	
FACIALS	86
CUMBER	15
JITTERS	80
ELEMI	7
JUDD'S TOTAL:	188

BOARD 86	
PARABLE	61
BEGONE	18
TWELVE	24
EVOKER	39
JUDD'S TOTAL:	142

BOARD 87	
VARIATE	64
SWINGER	69
ROCKET	36
FURNACE	86
JUDD'S TOTAL:	255

BOARD 88	
NERVATE	80
CALLER	16
CHUCKLE	72
SURGEON	58
JUDD'S TOTAL:	226

BOARD 89	
WINNERS	62
ATTACH	33
BOREEN	8
CANTORS	68
JUDD'S TOTAL:	171

BOARD 90	
NOTICES	68
SECRECY	64
UNROLLS	57
CALLER	8
JUDD'S TOTAL:	197

BOARD 91	
HOY	17
GOSSIP	18
PRAYERS	62
SONNETS	71
JUDD'S TOTAL:	168

BOARD 92	
CONSORT	77
GLACIER	60
THRASH	20
FURLONG	61
JUDD'S TOTAL:	218

BOARD 93	
ROTATES	57
FIRED	9
BUXOM	32
DAUNTER	66
JUDD'S TOTAL:	164

BOARD 94	
SHODDY	22
DARTER	7
DEBTOR	9
CORRADE	62
JUDD'S TOTAL:	100

BOARD 95	
AMOEBAS	67
ROTTEN	6
QUARTER	86
AGILITY	61
JUDD'S TOTAL:	220

BOARD 96	
WHOOP	21
TOMBOYS	92
ASSAYER	60
EMOTIVE	62
JUDD'S TOTAL:	235

BOARD 97	
PLASTIC	62
APOSTIL	59
CREAMS	10
ADMAN	11
JUDD'S TOTAL:	142

BOARD 98	
LIVELY	16
IMITATE	68
VITALLY	76
TREATY	9
JUDD'S TOTAL:	169

BOARD 99	
COLLARD	80
INITIAL	57
MAESTRO	62
INBOARD	70
JUDD'S TOTAL:	269

BOARD 100	
RUMPLY	19
EIGHTHS	64
GUNMAN	18
BOTULIN	59
JUDD'S TOTAL:	160

BOARD 101	
HISTORY	67
DELF	16
GARRET	7
TROUGHS	83
JUDD'S TOTAL:	173

BOARD 102	
HAPPY	45
ARRAIGN	66
DINETTE	58
DUTEOUS	60
JUDD'S TOTAL:	229

BOARD 103	
KNEEPAD	74
KNEADS	22
ACIDLY	12
APART	21
JUDD'S TOTAL:	129

BOARD 104	
FORMAT	19
JUGGLER	74
TOROID	7
FOB	24
JUDD'S TOTAL:	124

BOARD 105	
CLEVER	22
NOOSE	5
DEARTHS	83
GOOFY	20
JUDD'S TOTAL:	130

BOARD 106	
FROWN	22
KINDLES	62
DOPY	30
HURRAY	12
JUDD'S TOTAL:	126

BOARD 107	
GLOSSY	30
TALLIED	66
PEDATE	9
SPIGOT	15
JUDD'S TOTAL:	120

BOARD 108	
ARTISTS	71
CHANCRE	92
WEATHER	71
PERUSES	59
JUDD'S TOTAL:	293

BOARD 109	
MANACLE	83
FABRICS	64
TAINT	5
AIRLINE	57
JUDD'S TOTAL:	209

BOARD 110	
BEZEL	36
WHICH	16
BRUTISH	74
MELTAGE	60
JUDD'S TOTAL:	186

BOARD 111

RESEDAS	66
PAINTER	77
KUDZU	39
DEFUNCT	63
JUDD'S TOTAL:	245

BOARD 112

DUMBS	20
COTTON	8
CLOTHES	64
THEORY	12
JUDD'S TOTAL:	104

BOARD 113

PRIVITY	69
MULLAH	22
SQUINTS	66
HUMBLY	16
JUDD'S TOTAL:	173

BOARD 114

FOYERS	24
GRAHAM	24
FIRED	9
CHARGE	36
JUDD'S TOTAL:	93

BOARD 115

SUNFISH	71
LOWNESS	60
FURTHER	89
DISEASE	74
JUDD'S TOTAL:	294

BOARD 116

REFLUX	32
LIVING	18
LAYOUTS	60
FILIAL	27
JUDD'S TOTAL:	137

BOARD 117

REWIRE	18
CRISIS	16
SCANT	10
POINTER	59
JUDD'S TOTAL:	103

BOARD 118

RIBLIKE	64
HARSHLY	74
CANVASS	62
PALPUS	30
JUDD'S TOTAL:	230

BOARD 119

SEASON	6
DELICT	18
SOFTIES	68
SHEDDER	62
JUDD'S TOTAL:	154

BOARD 120

FLEECER	66
RODEOS	21
RELYING	61
EXUDATE	65
JUDD'S TOTAL:	213

BOARD 121	
HUGGED	16
AIRIER	12
ALEVIN	18
REBUSES	77
JUDD'S TOTAL:	123

BOARD 122	
AGONIST	58
LAMPREY	67
AILMENT	68
SANCTUM	61
JUDD'S TOTAL:	254

BOARD 123	
THRIVE	20
LUTEOUS	64
SLEEKLY	64
SILLILY	60
JUDD'S TOTAL:	208

BOARD 124	
GRANTEE	66
MOONSET	59
PERMUTE	61
GANGUE	24
JUDD'S TOTAL:	210

BOARD 125	
REZONE	35
CLEAVE	11
REDDISH	74
EMITTER	59
JUDD'S TOTAL:	179

BOARD 126	
HEARTEN	64
OOLONG	21
AIRER	10
MARRY	16
JUDD'S TOTAL:	111

BOARD 127	
PROFESS	70
ANOXIA	13
REBUILT	59
MOURN	21
JUDD'S TOTAL:	163

BOARD 128	
TWIST	16
INVALID	69
AERATE	6
FLAGMAN	63
JUDD'S TOTAL:	154

BOARD 129	
SUNBELT	77
ATONERS	57
KNELT	14
ABSEIL	16
JUDD'S TOTAL:	164

BOARD 130	
GREEDY	11
STYLITE	62
SHUDDER	74
ANIMIST	59
JUDD'S TOTAL:	206

BOARD 131	
KIDNAPS	69
MONSOON	59
RIFTED	10
STATELY	80
JUDD'S TOTAL:	218

BOARD 132	
ENTREAT	57
WAYBILL	73
LEASER	12
HAH	9
JUDD'S TOTAL:	151

BOARD 133	
PLANTER	62
GUSTILY	83
TENDON	7
HAMATE	11
JUDD'S TOTAL:	163

BOARD 134	
SPEWER	11
EPOCH	15
FAKERS	26
HANGING	86
JUDD'S TOTAL:	138

BOARD 135	
BLARNEY	86
POTATO	8
PECTIZE	70
POLDER	15
JUDD'S TOTAL:	179

BOARD 136	
DEFROST	69
BRIGHT	24
WAKEFUL	67
YOUNGER	61
JUDD'S TOTAL:	221

BOARD 137	
FURLONG	65
ENVIER	9
TURNIPS	77
BARONET	59
JUDD'S TOTAL:	210

BOARD 138	
MENTION	61
BELAY	20
PUNTED	9
LINNET	12
JUDD'S TOTAL:	102

BOARD 139	
FAKIR	36
SHRUB	18
AFFIRM	14
FIXTURE	101
JUDD'S TOTAL:	169

BOARD 140	
DARKLY	42
OBLIGES	70
REMEDY	12
GRANTEE	62
JUDD'S TOTAL:	186

BOARD 141

KYLIX	57
BLEW	17
YAWLING	64
BRUTAL	16
JUDD'S TOTAL:	154

BOARD 142

LOCO	12
TREMBLY	64
YEOMAN	14
CHEETAH	95
JUDD'S TOTAL:	185

BOARD 143

LAUGHED	70
JESTS	20
DEMISE	27
FLIRTER	60
JUDD'S TOTAL:	177

BOARD 144

HANDOUT	83
EMBRACE	76
ALTARS	6
APOSTIL	77
JUDD'S TOTAL:	242

BOARD 145

INNATE	6
DIETED	16
CALIPER	62
VICUNA	19
JUDD'S TOTAL:	103

BOARD 146

IDOLIZE	101
HANDBAG	92
EARNEST	57
CHIDER	12
JUDD'S TOTAL:	262

BOARD 147

BENEFIT	62
DEVOIR	20
BEFORE	11
RAMJETS	82
JUDD'S TOTAL:	175

BOARD 148

CHOIR	18
VISION	27
SUMMONS	61
SELFISH	71
JUDD'S TOTAL:	177

BOARD 149

WILDLY	17
TOPLESS	77
OXIDANT	65
FALLACY	80
JUDD'S TOTAL:	239

BOARD 150

CENOTE	8
TABOO	13
ESPARTO	77
CURIO	7
JUDD'S TOTAL:	105

BOARD 151	
BOGUS	16
ABDUCT	11
BANKER	12
BAILIFF	68
JUDD'S TOTAL:	107

BOARD 152	
BUREAUX	82
MADNESS	64
DEPICT	11
PYX	30
JUDD'S TOTAL:	187

BOARD 153	
PHENYL	42
TOOLBOX	68
DOMINO	9
HATEFUL	89
JUDD'S TOTAL:	208

BOARD 154	
WAILFUL	71
VENALLY	89
FAWNER	12
BRUSHY	28
JUDD'S TOTAL:	200

BOARD 155	
BLONDES	70
FERRIES	60
RESURGE	66
SWOOSH	12
JUDD'S TOTAL:	208

BOARD 156	
TRULY	16
MINARET	77
GUYED	10
TAIPAN	14
JUDD'S TOTAL:	117

BOARD 157	
MIRTH	14
RACIAL	16
IRKSOME	63
SEETHES	68
JUDD'S TOTAL:	161

BOARD 158	
TRUSTEE	64
OARSMAN	61
DISEASE	66
HUNGRY	13
JUDD'S TOTAL:	204

BOARD 159	
TRACT	13
IBEX	21
DATURA	14
TRANSIT	57
JUDD'S TOTAL:	105

BOARD 160	
GROWTH	39
SCORCH	19
BAP	7
WITLESS	70
JUDD'S TOTAL:	135

For information about local Scrabble® clubs, please write to:

Philip Nelkon
Scrabble Clubs UK
Mattel House
Vanwall Business Park
Vanwall Road
Maidenhead
Berkshire
SL6 4UB

Telephone: 01628 500283
E-mail: scrabbleuk@mattel.com

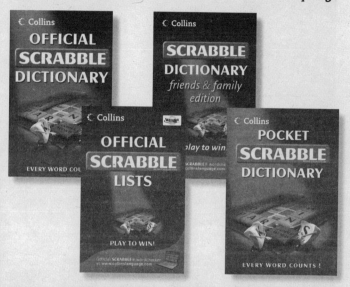

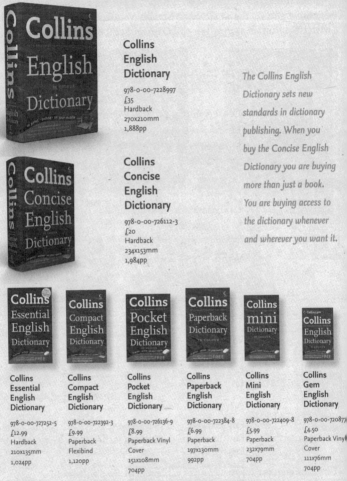

More fantastic titles in the Collins Easy Learning **range:**

Audio Course:

Easy Learning French Audio Course
Easy Learning Italian Audio Course
Easy Learning Mandarin Audio Course
Easy Learning Polish Audio Course
Easy Learning Spanish Audio Course

Conversation:

Easy Learning French Conversation
Easy Learning Italian Conversation
Easy Learning Spanish Conversation

Grammar:

Easy Learning French Grammar
Easy Learning German Grammar
Easy Learning Italian Grammar
Easy Learning Spanish Grammar

Verbs:

Easy Learning French Verbs
Easy Learning German Verbs
Easy Learning Italian Verbs
Easy Learning Spanish Verbs

Words:

Easy Learning French Words
Easy Learning German Words
Easy Learning Spanish Words

Dictionaries:

Easy Learning Chinese Dictionary
Easy Learning French Dictionary
Easy Learning German Dictionary
Easy Learning Italian Dictionary
Easy Learning Malay Dictionary
Easy Learning Polish Dictionary
Easy Learning Spanish Dictionary

To place an order for *Collins Easy Learning* titles call our sales team on 0870 787 1732

Collins www.collinslanguage.com